J'avoue que j'y ai cru

Du même auteur

Où il est le petit Jésus, tabarnac,
Trois-Pistoles, Éditions Trois-Pistoles, 1997

Écœure-moi pas avec ça, répondit Dieu,
Montréal, Éditions du CRAM, 1999

On ne patine pas avec l'amour,
Montréal, Éditions du CRAM, 2000

Ils viseront ta tête,
Montréal, Éditions du CRAM, 2004

Pourquoi je n'ai pas pleuré mon frère,
Montréal, Éditions de la grenouille bleue, 2009

YVES CHEVRIER

J'avoue que j'y ai cru

ROMAN

Les Éditions Sémaphore
3962, avenue Henri-Julien
Montréal (Québec) H2W 2K2
Tél. : 514-281-1594
Courriel : info@editionssemaphore.qc.ca
www.editionssemaphore.qc.ca

Nous remercions le Conseil des Arts du Canada
de l'aide accordée à notre programme de publication.

Graphisme de la couverture : Christine Houde
Direction littéraire : Tania Viens
Correction d'épreuves : Annie Cloutier
Mise en page : Christine Houde

ISBN 978-2-924461-45-7

Dépôt légal : 4e trimestre 2018

Diffusion Dimedia
539, boul. Lebeau, Ville Saint-Laurent (Québec) H4N 1S2
Tél. : 514 336-3941
www.dimedia.com

À mes colocs :
Michelle, Dominique, Gabrielle, Laurence et Clara.

Le Promis

Je suis venu au monde les fesses en premier. Le corps et les jambes ont suivi, pas le reste. Je suis resté coincé là, la tête au noir et le derrière au froid. Dans une position pareille, on n'a pas idée de la réaction d'un si jeune cerveau, nullement habitué aux grandes épreuves. J'ai voulu regagner le milieu confortable d'où je venais. Voire retourner dans le néant. J'en étais aux premières lueurs de mon existence et, déjà, j'aspirais à son terme.

Puis on m'a délivré. J'ai fini par apprécier me retrouver du côté de la lumière, de l'air, des sons, des touchers et de la peau d'une mère qui me tapotait les cuisses et faisait du bruit avec sa bouche en soufflant sur mon ventre, comme elle l'avait fait pour mon frère avant moi. Je ne vivais que pour elle, son sein, son lait, ses bras, sa bouche, sa voix.

Quand la fille tant désirée est née un an plus tard, ça s'est gâté. Mon grand frère avait déjà eu le temps de prendre sa place. J'aurais pu me battre pour garder la mienne, mais comme l'augurait ma naissance, j'avais plutôt tendance à avancer vers l'arrière. Alors je suis devenu un quêteux de tendresse davantage qu'un bagarreur qui monte au front pour réclamer son dû. Faire le beau plutôt que le frondeur.

Nous étions rendus cinq à la maison, dont mon père, le plus gros morceau. Toute ma vie, j'ai conservé une photo de lui dans mon porte-monnaie, sur laquelle il nous entoure les épaules, mon frère et moi, alors tout petits bonhommes. À le voir planté entre nous deux dans son costume de camionneur, on a l'impression d'un chêne qui étend ses deux branches pour nous préserver du soleil cuisant. Du solide, mon père, un homme costaud, tendre et bon.

Il était mon idole. Je le suivais partout, comme ce jour où il s'apprêtait à faire une opération de menuiserie dans le hangar du fond de la cour où il gardait deux chevaux en pension. Je me souviens très bien de la scène. Avec son vilebrequin, il perça quatre trous dans le mur, formant un carré. Il prit une scie étroite et longue, et se mit à scier le bois d'un trou à l'autre. Je ne comprenais pas pourquoi il faisait ça. Mais quand le panneau est tombé à l'extérieur et que j'ai aperçu le jour, j'ai applaudi. Tout aussi fier de mon émerveillement que d'avoir réussi, mon père me prit dans ses bras et me fit passer délicatement par le trou, qui allait servir à sortir le fumier de l'étable. De tout ce que j'ai vécu avant mes six ans, ma mémoire n'a retenu rien d'autre que cette apparition subite d'un trou de lumière dans le mur d'une étable sombre.

Très tôt, je me suis intéressé aux objets, à leur fonctionnement, à leur fabrication. Je me hasardais à ramancher ce qui était démanché. Tout le temps. C'était plus fort que moi : même haut comme trois pommes, je ressentais le besoin de réparer. Depuis un bout de temps, ma mère talonnait mon père pour qu'il fixe la gouttière du toit qui s'était décrochée et par où l'eau fuyait, juste au-dessus de la porte d'entrée. Malgré mes huit ou neuf ans, je me suis hissé là-haut par le toit de la remise et j'ai remis la gouttière en place. Une affaire pour me casser la gueule et me faire chicaner de belle manière. « Tu aurais pu te tuer ! » répétaient sans cesse mes parents, hébétés. Mais j'avais réussi à les impressionner, surtout ma mère.

À l'automne de la même année, une réalisation de plus grande envergure s'est ajoutée à ma fiche. Je proposai à mes parents une nouvelle façon de retenir la neige et de délimiter le contour de la patinoire dans la cour de la maison. Nos planches d'une quinzaine de centimètres de large faisaient un peu trop colon à mon goût. À l'usine où mon père travaillait, on jetait les boîtes en bois dans lesquelles leur étaient livrés les bouchons pour capsuler les bouteilles de *7Up*. Les deux extrémités, solidement rivetées, étaient toutes désignées pour servir de bandes de patinoire et juste assez hautes pour que nous puissions pratiquer nos *slapshots*, à la Boum Boum Geoffrion.

Je me suis mis à la tâche avec mon grand frère. Un défi de taille nous attendait. Puisqu'un coin de la cour était en pente, l'eau d'arrosage s'était toute ramassée dans cette partie basse l'hiver précédent. Il avait fallu attendre à la fin de la saison pour obtenir une glace à niveau. J'ai eu l'idée de clouer les bandes de cette partie de la patinoire dans le haut des équerres fixées au sol pour que, une fois la neige accumulée là, arrosée et gelée, la glace soit tout de suite de niveau. Ça donnait une drôle d'emmanchure, mais j'étais fier du résultat.

Même ma mère s'est mise de la partie. Elle convainquit son frère électricien de venir nous installer des lumières pour que nous puissions jouer au hockey le soir, comme chez les Beaulieu à l'autre bout de la ville. Trois fois cent cinquante watts, ça éclaire une patinoire familiale et illumine le cœur des enfants. Il fallait des abat-jour, le ciel n'avait pas besoin d'être éclairé. Je réussis à trouver un vieux moule à gâteau rouillé, une boîte à biscuit ronde et une chaudière trouée, que nous avons fixés au-dessus de chacune des ampoules. Le jour, ça faisait peur aux oiseaux. Le soir, quel tableau !

Je rêvais d'un avenir d'ingénieur ou d'architecte. J'étais bâti pour manier des matériaux, les organiser, leur donner une fonction. Ma tête et mes mains faisaient une belle paire. N'avais-je pas hérité de la créativité de ma mère ? Cette femme avait des doigts de fée. Je passais de grands bouts de temps à lui faire la cour, assis sur le tabouret à côté de la table où elle confectionnait des tartes, des galettes ou des beignes, fasciné par sa manière de rouler la pâte. Comment parvenait-elle à obtenir une pâte si légère en aplatissant les abaisses avec autant d'énergie et de conviction ? Sa façon de retrancher l'excédent, une fois la tarte recouverte, et d'en décorer le contour m'impressionnait. Un magicien ne m'aurait pas plus ébloui. Quand elle posait ses mains sur les miennes pour m'apprendre à découper les galettes avec un verre enfariné, c'était du gâteau! Peut-être étais-je parvenu à prendre autant de place que ma petite sœur dans son cœur, finalement...

La petite bolée, elle, savait toutes ses réponses de catéchisme. Elle débitait ça comme les noms de ses frères, ses cousins, cousines, oncles et tantes, sans hésiter. Je l'enviais. En catéchisme, j'étais nul. Et pourtant, la pression pour assimiler le bagage religieux était très forte. Tout le monde y tenait : mes parents, mes professeurs, la parenté, la société au grand complet!

Dans ma ville, comme ailleurs au Québec, la majorité des gens étaient catholiques pratiquants et somme toute heureux de l'être. Rares étaient ceux qui ne croyaient pas en Dieu. Les fidèles des deux ou trois églises protestantes de la Grande Rue avaient le même Bon Dieu que nous, à ce qu'on disait. Le dimanche était jour chômé pour tout le monde; le repas familial du midi était sacré, tout autant que la messe, où on devait se présenter à jeun si l'on voulait communier à la sainte hostie et ainsi consolider son état de grâce, condition recherchée par le chrétien moyen. Ceux qui restaient couchés ces matins-là étaient considérés des tièdes, des gens de peu de foi ou des contestataires. Mes parents, sans être des rongeurs de balustrades, figuraient parmi les bons chrétiens de la paroisse.

Au baptême, le catholique s'installait sur la ligne de départ de son parcours. Il était confirmé à l'adolescence, marié à l'église, fortifié par l'eucharistie, assuré des derniers sacrements et, au fil d'arrivée, gagnait le ciel, lieu de la grande rencontre et de la jouissance suprême. Il s'accommodait de ces rites et de ces croyances. Le crucifix, signe d'appartenance et assurance de protection, trônait dans sa maison. Dieu était un atout pour surmonter les épreuves et favoriser son bien-être intérieur. Il était évident que Dieu avait créé le monde en six jours, et de bon ton de s'émerveiller devant sa nature, de la plus minuscule bibitte jusqu'à l'insondable ciel étoilé. Toujours paternel et attentif, il avait délégué son Fils pour faire comprendre comment il nous aimait. Mais attention ! Il avait aussi fait pleuvoir le feu sur Sodome et Gomorrhe, provoqué les plaies d'Égypte et, à Rigaud, changé les patates en roches dans le champ d'un paysan qui cultivait sa terre le dimanche. En ce temps-là, l'enfer existait.

La morale qui découlait de ce système de croyances orientait le monde. Dieu t'aime, tu ne lui feras pas de peine, tu demeureras en bon terme avec lui, tu zigzagueras à travers la liste des péchés compilés par l'Église et tu t'arrangeras pour retrouver la paix en confessant tes fautes. Tout cela compris dans l'incontournable petit catéchisme sous la forme de cinq cent huit questions et réponses à mémoriser au cours des sept années du primaire.

À la maison, après le souper, nous faisions nos devoirs sur la table de la cuisine avec ma mère et apprenions nos leçons dans le salon avec mon père. Je me présentais à lui avec le manuel de catéchisme en main, pas très sûr de moi. Ces damnées réponses, il s'apercevait vite que je ne les savais pas. Il me renvoyait les apprendre. C'était peine perdue. Je mettais plus d'ardeur à résoudre un problème d'ajustement de gouttières qu'à mémoriser mes matières. À l'école, à la maison, sur les terrains de jeu, je réservais mes efforts pour les parties gagnées d'avance.

Je n'étais pas à proprement parler un paresseux. Avec ma peur de franchir le seuil de mes premières défaites, j'étais bâti pour laisser gagner plus gros, plus fort et plus tenace que moi. Tout à fait l'acteur idéal pour le scénario d'un tête-à-tête avec Dieu, le Tout-Puissant et Tout-Aimant, l'omniprésent à la maison, à l'église, à l'école, à la radio, dans les journaux, sur le calendrier, dans les fêtes, dans le deuil, partout. Je n'étais pas équipé pour dire non à une force pareille. Il s'est infiltré dans mes failles, au creux de ma mollesse au combat et de ma quête de tendresse. Il est habile. Il se présente bien. Il parle au cœur, un peu sournois mais bon, très bon. On est porté à le croire.

L'histoire de notre relation a débuté très tôt, avant même que j'entre à l'école.

Comme tous les enfants des familles catholiques qui fréquentaient l'église le dimanche — la mienne avait un taux particulièrement élevé de dévotion —, je croyais fort à son existence. Nous faisions bon ménage tous les deux, je lui parlais, pour le remercier ou lui demander des choses. Je lui faisais confiance. Peu à peu, je me suis imaginé qu'il exerçait des pressions sur moi pour que je travaille pour lui quand je serais grand. Que j'entrerais à son service et porterais une soutane comme les prêtres respectables de ma paroisse. Lorsque ma mère me priait de dire aux mononcles ou aux matantes ce que je ferais plus tard, je répondais gentiment : « Un bon vieux curé de campagne ». D'où tenais-je cela ? De la petite flamme que Dieu avait allumée en moi à mon insu ? De l'appel soufflé par ma mère récitant chaque soir en famille une prière pour que Dieu choisisse un prêtre parmi ses garçons ? Ou de la suggestion camouflée par le « kit pour dire la messe » que mes parents m'avaient offert à mon anniversaire ? Dans ma petite tête d'enfant, c'était fabuleux d'imaginer que le grand jardinier avait choisi mon terreau pour y déposer une semence qu'il ferait germer et entretiendrait. Je n'aurais qu'à la regarder pousser. Par-dessus le marché, Jésus avait promis à ses apôtres le centuple en ce monde et le paradis assuré à la fin de leurs jours. Ce n'était pas rien.

Le métier de bon vieux curé de campagne supposait que je ne me marierais pas, que je n'aurais pas d'enfants et que je manipulerais plutôt des vases sacrés que des outils de construction. C'était synonyme de gros sacrifice. Depuis quand rêve-t-on de faire des sacrifices ? La plupart des enfants rêvent d'une carrière qui les emballe et fait briller leurs yeux. J'ai plutôt accusé le coup et vécu tout mon cours primaire avec la voie de la vocation dans ma cour arrière. Je n'étais pas malheureux. Je pressentais que ma mère en serait heureuse. C'était un sacré beau cadeau à lui faire.

Parallèlement à ce qui se jouait sur mon terrain privé, je filais ma vie publique de bon petit garçon qui, dès sa première année d'école chez les religieuses, se pointe tous les matins au couvent, à sept heures, pour servir la messe que le vicaire de la paroisse venait célébrer exprès pour les sœurs. J'ai dû m'y rendre à reculons certains matins d'hiver. En tout cas, j'ai appris avec fierté les répons de messe en latin : *Ad Deum qui laetificat juventutem meam*, « Vers Dieu, qui réjouit ma jeunesse ». À six ans, j'étais envoûté par cette ambiance étrangère dans laquelle je pénétrais tous les jours : la cloche qui résonnait très fort à mes oreilles lorsque je pesais sur le bouton à l'entrée, les corridors très larges couverts de prélarts cirés amoureusement par les sœurs et aussi luisants que ma patinoire fraîchement arrosée, le majestueux escalier que j'empruntais à la suite de la petite sœur sacristine et, surtout, l'atmosphère sacrée de la chapelle où une vingtaine de religieuses en méditation, agenouillées et têtes baissées, se disposaient à recevoir le pain de Dieu que le prêtre allait consacrer avec le vin dans des vases en or. J'étais le petit page de circonstance, vêtu d'une soutane et d'un surplis blanc qui, au nom de toutes ces sœurs assemblées, donnait la réplique en latin aux prières du célébrant. C'était beaucoup de poids sur les épaules d'un enfant de six ans. Tout ce bagage neuf aurait pu me rebuter, il m'a séduit. Le sacré m'a fasciné.

Sans que mes parents m'y forcent, je suis entré dans la confrérie des enfants de chœur. Le dimanche, à la grand-messe, nous étions une quarantaine de petits garçons qui, comme les moines dans les abbayes, font corps avec le célébrant pour louanger Dieu. Nous étions privilégiés de participer de si près au mystère qui s'opérait devant nous. Cela ne m'empêchait pas d'être parfois longuement distrait et de m'occuper davantage à décaper les gouttes de cire de cierge incrustées dans mes manches de soutane qu'à m'attarder aux vapeurs divines symbolisées par l'encens. La graine mûrissait sans trop que je sache comment elle allait pousser. Je n'avais aucune idée de ce qu'un bon vieux curé de campagne pouvait faire du lundi au samedi.

Au cours de ma cinquième année d'école, j'ai fait une expérience bouleversante qui allait apporter un début de réponse à cette question et m'ouvrir les yeux sur un tout autre type de relation aux autres. Je me souviens très bien où j'étais placé dans la classe. Je vois encore le grand Farley partir de la dernière rangée et s'amener au tableau, à la demande du professeur, pour résoudre un problème de calcul. De sa baguette, le frère lui indiqua les chiffres à multiplier. À cause de sa timidité ou de son ignorance, Farley restait muet. La réponse était facile, pourtant. Il n'osait même pas avancer un chiffre. Pour lui rafraîchir la mémoire, le gros frère en soutane lui donna un petit coup de baguette pas bien malin sur les fesses. Ce n'était pas l'habitude de ce frère de taper les élèves. S'était-il levé de mauvaise humeur ce matin-là ? Ou avait-il pris Farley en grippe ? Au premier coup de baguette, l'enfant sursauta, mais ne répondit rien. Alors le frère s'impatienta et le frappa à nouveau sur la fesse, juste à l'endroit de la poche où se trouvait le chapelet de l'élève. Au troisième coup, la poche se perça et le chapelet commença à sortir. Le grand Farley ne bronchait toujours pas. Ce n'était pas drôle, mais la majorité des élèves de la classe se mirent à rire de la scène. Plus la baguette s'abattait sur la fesse, plus le chapelet pendait. Les larmes coulaient sur les joues de Farley. Les autres enfants se moquaient de sa peine. Farley n'avait pas d'emblée beaucoup d'alliés : il n'était pas le plus talentueux de la classe, ni le plus éveillé, ni le plus propre. J'espérais très fort que le frère cesse de frapper. Je n'avais pas le courage de me lever pour crier mon indignation. Je me désolais de la situation en silence. Je n'avais jamais été confronté à une détresse humaine pareille de ma courte vie. Je compatissais à la souffrance de Farley ce jour-là, par pitié sans doute. J'ai tout de même trouvé la force de résister à la vague de moquerie qui m'entourait. J'étais différent des autres. Pour moi, la risée n'était pas la solution : c'était s'éloigner de Farley, alors qu'il fallait s'en approcher, et l'aider si possible...

Cloué à ma chaise, les deux coudes sur mon pupitre, la tête dans mes mains, les yeux fixés sur le visage de Farley en pleurs, j'étais subjugué par ma sensibilité aux malheurs des autres et en même temps surpris qu'elle me fasse vivre autant de solitude. Qu'allais-je faire avec ça dans ma vie ? Me contenter d'être témoin ? Me grouiller pour intervenir ? En aurai-je l'audace ? Avais-je reçu cette qualité en même temps que ma vocation ? Cela aurait-il quelque chose à voir avec la job d'un curé durant la semaine ?

Le Fier

Dans le petit catéchisme, on définissait les anges comme des *serviteurs de Dieu*. J'avais accepté d'en devenir un. Pas un ange, un serviteur. En arrivant en classe le matin, on nous faisait réciter les *Actes* en guise de prière : acte de foi, de charité, de contrition, d'espérance, d'humilité. Un par jour. Celui d'humilité tombait le vendredi et me chicotait un petit brin :

> *Mon Dieu, je ne suis que cendre et poussière.*
> *Réprimez les mouvements d'orgueil qui s'élèvent en mon âme.*
> *Apprenez-moi à me mépriser moi-même,*
> *Vous qui résistez aux superbes*
> *Et qui donnez votre grâce aux humbles.*

Je ne comprenais pas pourquoi je devais apprendre à me mépriser. Les anges n'auraient sans doute pas accepté de réciter cette prière. Étaient-ils à ce point si peu respectueux d'eux-mêmes ?

L'humilité, proche parente de la soumission, ennemie jurée de l'abominable orgueil et assurance de tranquillité intérieure et de paix sociale, était à la mode et prêchée en chaire par les curés. De concert avec les évêques, Duplessis battait la mesure des valeurs traditionnelles menacées. Il était périlleux d'écouter la musique des ténors des libertés individuelles, de l'accomplissement personnel, d'une morale plus humaine, des droits des femmes et des travailleurs. Ces « mauvaises têtes » s'imposaient déjà trop. Le bon peuple avait traversé et vaincu tant d'épreuves, il avait conservé ses institutions, sa langue et sa religion. Que voulait-il de plus ? Soyons humbles ! Gardons notre place au soleil. Jésus avait promis que « les humbles posséderaient la terre ».

Malgré tout, je ne me suis jamais embarrassé de cet *acte d'humilité*. Trop fier-pet. Je tenais cela de ma mère, cette femme racée, intelligente, habile de ses mains et meneuse d'hommes, qui portait la tête haute le surnom de reine du foyer. Je voulais être sinon le roi de la place, du moins un prince. Et j'en portais l'habit.

J'avais besoin d'une veste pour l'école. Vu que ma mère fabriquait nos vêtements et qu'elle n'avait pas, dans ses armoires, de tissu pour confectionner une veste semblable à celles de tous les garçons de ma classe, elle m'offrit de la tailler dans la doublure du manteau d'hiver de mon grand-père, de couleur verte. Tout le temps qu'elle découpait les pièces et les assemblait, je l'observais, assis à côté du moulin à coudre.

Je me vois encore dans le miroir, un beau narcisse s'admirant dans sa nouvelle tenue. Une pièce unique, griffée en plus.

Malheureusement, cette belle pièce de vêtement allait avoir un destin tragique un vendredi matin de juin. Pour me rendre à mon école de garçons, je croisais les filles qui se dirigeaient vers leur école. Je ne sais quelle idée m'a pris, mais j'ai décidé subitement de traverser la rue pour aller demander à une petite fille que je connaissais ce qu'elle avait dans sa boîte à lunch, dans l'espoir d'échanger des choses avec elle. Et bang! Un taxi m'a frappé. Mon linge s'est accroché au pare-chocs et la voiture m'a traîné sur une dizaine de mètres, pour me rejeter sur le côté à la fin de la glisse. Quand le véhicule s'immobilisa, je gisais à terre le long de l'auto avec un pan de mon beau jacket sous la roue. Je n'avais mal nulle part. Mon sac à dos m'avait protégé. Sous le choc, je ne bougeais pas, la tête près du pneu. Les enfants qui marchaient vers l'école s'attroupèrent. Personne n'osait me toucher ni me parler. L'ambulance arriva enfin. L'infirmier me parla et m'apaisa. Lorsqu'il voulut me tirer de là, il s'aperçut que ma veste était prise sous le pneu. Il sortit son couteau et découpa ma belle veste de soie verte. Une fois sur la civière, voyant tous les enfants rassurés, je me foutais bien de mon *jacket*, trop fier d'être le miraculé vedette d'un accident d'auto.

J'avais été chanceux de m'en tirer ainsi. C'est providentiel, répétait ma mère à ses amies au téléphone. Un vrai miracle! Sans doute Dieu s'était-il mêlé de cela. Il aurait pu me le manifester autrement : mon beau *jacket* était fini.

Ma réputation de miraculé m'a suivi un bout de temps. Puis j'ai usé de plusieurs astuces vestimentaires pour me démarquer. Ça ne m'en prenait pas beaucoup, juste un clignotant lumineux pour m'assurer de ne pas passer inaperçu. Bien plus qu'un caprice d'enfant, cette tendance à afficher ma différence allait longtemps donner du caractère à ma figure de serviteur et de quêteux de tendresse. De façon toute simple, je colorais mon destin.

J'ai longtemps eu honte d'être possédé par la vanité. Mais c'était ma revanche secrète sur la vie, comme si je criais à Dieu : « Si tu veux de moi, laisse-moi m'arranger à ma manière pour que je ne pâtisse pas trop de tes exigences ! Tu vas devoir m'endurer de même. »

Plusieurs années plus tard, à la veille d'être sacré prêtre, je ne savais pas où j'aboutirais ni comment j'allais concilier mon personnage particulier et le sérieux appel à donner ma vie pour aider et bénir les Farley de ce monde. C'était trop tôt. Le bon évêque de Venise, Roncalli, venait d'être élu pape Jean XXIII et avait convoqué un concile, une brise légère de jeunesse soufflait sur Rome et laissait présager une ouverture d'esprit. Il n'en reste pas moins que l'Église monolithique du Québec demeurait rivée à sa traditionnelle coutume de miser sur les paroisses pour entretenir la foi de ses fidèles, et sur les collèges classiques et les séminaires en tant que champ de culture pour les vocations. Mes choix de carrière se comptaient sur les doigts d'une main : tu devenais prêtre de paroisse, professeur de collège, aumônier d'école ou d'hôpital, prédicateur ou, pour les aventuriers, missionnaire au loin. Il y avait bien quelques marginaux qui avaient poussé par-ci par-là. Le jésuite chanteur français, le père Duval, était populaire ici, sans parler de l'abbé Pierre et des prêtres-ouvriers. Et au Québec, le père Aquin avait acquis une telle réputation qu'on l'avait surnommé le Bon Dieu en taxi. Ceux-là tranchaient vraiment sur les autres. Je n'entretenais pas une telle prétention. Juste celle de ne pas me couler dans les mêmes formes que tous les hommes en soutane noire que j'avais vus arpenter les corridors de mon collège et les trottoirs de mon village...

L'Éveillé

D'où peut bien venir cette phobie des femmes dans l'Église catholique ? Du vivant de Jésus, elles faisaient partie du premier groupe à saisir la portée du message qu'il prêchait et à le suivre. Ce sont elles, croient certains, qui finançaient son projet. Jésus n'avait pas peur qu'elles le touchent, qu'elles lui lavent les pieds. Il ne s'enfargeait pas dans les traditions. Dans les communautés chrétiennes naissantes, sous la mouvance de l'Esprit du ressuscité, les femmes avaient, tout comme les hommes, le pouvoir de prophétiser, d'interpréter, de guérir et de parler en langues. Avec le temps, ça s'est lamentablement gâté, à tel point que les bons curés de mon collège appelaient les filles « les voleuses de vocation ». Pourtant elles ne portaient pas de jupes courtes, ni de leggings moulants, ni de gilets bedaine. Elles ne fréquentaient pas les mêmes institutions que nous non plus. Elles représentaient, pour mon petit cœur d'appelé à la virginité, un fruit défendu dont j'étais beaucoup mieux de n'en point connaître le goût. J'étais un bon garçon, né d'une famille exemplaire qui récitait tous les soirs le chapelet, agenouillée devant la radio où la voix du cardinal Léger, religieusement et pompeusement, égrainait les *Je vous salue Marie* en nous invitant à répondre : « Sainte Marie, mère de Dieu »...

Quand un homme de ma génération se vante d'avoir, très jeune, peloté des filles sous une galerie ou dans un hangar, je me demande lequel était normal, lui ou moi ? Si je ne me suis pas adonné à ce type d'exercice, était-ce parce que mes voisines n'étaient pas délurées, que je ne l'étais pas assez, que l'occasion ne s'est pas présentée ? Était-ce parce que je ne concevais pas que mon apprentissage de la vie doive passer par là ? Mon éveil s'est fait en douce. J'avais des yeux pour voir, un corps pour sentir et une imagination saine.

À la fin de chaque année scolaire, mes parents procédaient à la répartition des enfants pour l'été. Avec le temps, la famille avait grossi.

La fille et les deux plus jeunes restaient avec maman. Les plus vieux des gars allaient à la campagne chez les oncles et tantes cultivateurs. L'un chez tante Rose, l'autre chez tante Blanche et moi chez tante Brunette. J'y suis retourné tous les étés jusqu'à mes treize ans. Je l'appelais « matante fine ». Dieu que son regard et son sourire posés sur moi me faisaient du bien ! J'étais en amour avec ma mère, ma mère m'aimait, mais il manquait quelque chose à notre relation : je me sentais obligé de lui quêter sa tendresse. Toute jeune mariée, tante Brunette était de nature affectueuse. À ma grande surprise et mon plus grand bonheur, Brunette m'a même bercé un soir, après la traite des vaches. Je n'étais plus à l'âge des câlins, j'avais dix ans ! Ma mère ne nous berçait plus depuis un bout de temps. Il faut dire que j'étais le seul enfant dans la place chez matante fine ; à la maison, nous étions six dans les jupons de maman.

C'est dans ce contexte d'amour tendre que j'ai vécu ma première attirance pour les filles. J'étais monté aux champs avec mon oncle et son frère pour charger un voyage de foin, tout fier qu'on me laisse conduire la *team* de chevaux, grimpé sur la ridelle du devant de la charrette. Les deux hommes se mirent à me taquiner à propos d'une jeune fille tenant un kiosque à la tombola de la paroisse, où je m'étais amusé la veille. « Elle te faisait de l'œil, tu sais... As-tu remarqué ses beaux petits tétons ? Y a-t-il des filles à ton école ? As-tu une blonde ? » Je n'ai fait ni une ni deux : j'ai abandonné les guides, sauté en bas de la charrette en marche. Je suis revenu à la maison et j'ai pleuré de rage. Je leur en voulais de m'avoir amené sur un terrain que je commençais à peine à fouler. Ne me sentant pas assez fort pour me défendre, j'avais choisi la fuite. Je les avais bien remarqués, ses beaux petits tétons. Je n'avais pas décollé de son kiosque de toute la soirée. Plus âgée que moi, elle ne m'avait sûrement pas fait de l'œil ; elle faisait tout simplement sa job d'aguicheuse pour qu'un petit bonhomme de dix ans dépense toute la monnaie qu'il avait dans ses poches. Je m'étais laissé prendre. Je le trouvais bien beau, son t-shirt moulant.

Le passage de la petite école à la grande tombait à l'âge où on perd ses repères d'enfant tout en cherchant à s'ajuster à un corps qui s'éveille de partout. Je suis entré dans un pensionnat à forte dose de religion, d'où on ne sortait que très peu : un long week-end en novembre, un autre à Pâques, et quinze jours à Noël. Les seules jeunes filles à l'horizon étaient celles du couvent voisin qui s'amenaient au collège pour assister aux concerts des Jeunesses musicales, ou les sœurs des confrères de classe le dimanche au parloir. Un si mince contact avec les demoiselles durant l'année scolaire limitait la période d'apprentissage. Quand je sortais au grand jour à la fin du mois de juin, j'ouvrais les yeux sur le monde, sur les émissions de télé... et sur les filles.

À l'usine de mon oncle où mon père travaillait, mes frères et moi avions notre place réservée pour l'été. Le premier lundi après la sortie du collège, nous étions déjà à l'œuvre en tant qu'*helper* sur une *run* de vente de *7Up* aux épiceries, restaurants et hôtels. J'avais hérité du circuit d'un chauffeur nommé Gaston. Un homme cordial et boute-en-train, qui connaissait tous les clients, les barmaids et les serveuses par leur prénom. Je me sentais en vacances avec lui, il faisait attention à moi, je l'aimais beaucoup. Cela ne l'empêchait pas de conter des histoires cochonnes chaque fois qu'il en avait l'occasion. Du tout nouveau matériel pour mes chastes oreilles : les positions pour faire l'amour, la fréquence des ébats, les partenaires, les aveux cocasses en confession, les curés qui couchaient avec leur servante, tout y passait. Parfois, je riais sans comprendre pourquoi. J'enregistrais, je m'ouvrais à la chose, tout mon corps s'y sensibilisait. Les décolletés des barmaids particulièrement attiraient mon attention. Je suivais la procession des mâles à leur naturel.

La première fois que nous sommes débarqués à la *poolroom* chez Paulo, le soleil donnait dans la vitrine et laissait passer une bande de lumière entre deux lamelles de store. J'ai figé sur le seuil de la porte. Une apparition de la Sainte Vierge ne m'aurait pas plus ébloui. Une jeune fille était debout derrière le comptoir et, les yeux à demi ouverts, offrait son visage à la traînée de soleil. Je n'avais jamais rien vu d'aussi beau, à part ma mère quand elle riait de bon cœur. À la suite de Gaston, j'ai lancé les salutations habituelles et me suis mis à la tâche en triant les bouteilles vides sous le comptoir, tout près d'elle. Elle ne bougeait pas. Elle semblait en extase, captive de la lumière.

— Heille ! Mireille ! Dis bonjour à mononcle !

La voix forte de Gaston la tira de sa rêverie. Elle tourna son visage vers moi et ouvrit grand les yeux, comme si elle me connaissait.

Je ne pouvais m'empêcher de l'observer tout en travaillant.

Une fois assis dans le camion, Gaston me lance : « Elle est belle, ma nièce, hein ? » Ses lèvres avaient attiré mon attention. Ses yeux aussi. Bruns clairs. Ses fossettes qui élargissaient davantage son beau sourire. Enfin, tout. Surtout sa bouche. Pour la première fois de ma vie, j'éprouvais le désir d'embrasser une fille. J'ai répondu oui, et j'ai gardé le silence jusqu'au client suivant tellement j'étais troublé.

Deux fois par semaine, nous avons livré du *7Up* à Paulo. Je me suis dégêné, à tel point qu'à chaque fois, je me dépêchais de faire mon ouvrage pour me permettre un brin de jasette avec elle alors que Gaston faisait de même avec son beau-frère. Mireille était plus âgée que moi, de deux ans à peu près, et elle fréquentait un pensionnat d'enseignement ménager. Nous avions quelque chose en commun. J'espérais fort que nous ayons autre chose à partager.

Un jour, je l'ai invitée au cinéma. Je ne me reconnaissais plus. J'avais sauté deux ou trois coches à mon apprentissage. Nous sommes allés voir *L'homme au bras d'or*, avec Frank Sinatra et Kim Novak. Tout le long du film, je me suis demandé comment on termine une soirée après une vue au cinéma. Finalement, je l'ai reconduite tout simplement chez elle en bavardant. Elle semblait heureuse de sa soirée. Sur le pas de sa porte, je me suis aperçu que je fixais ses lèvres en lui disant bonsoir. J'ai pris peur, lui ai serré la main et m'en suis retourné à la maison en élaborant un programme. Je sortirais avec elle pendant l'été et, de collège à couvent, on s'écrirait des lettres. Ainsi, peut-être bien que la graine semée en moi pourrirait d'elle-même.

À la maison, tout fier, j'annonçai à mon père que j'étais sorti avec la fille à Paulo. Il fronça les sourcils. Dans ma ville de dix mille âmes, le *poolroom* à Paulo était fréquenté par la petite mafia du coin, le loueur de machines à sous, des joueurs de pokers, des buveurs et des joueurs de *pool.* « Je t'avertis tout de suite, mon gars, il n'est pas question que tu fréquentes la fille à Paulo. » J'eus beau argumenter, me défendre et me dire que je la verrais en cachette, il eut le dessus sur moi. Mon père était président de la Ligue du Sacré-Cœur, une confrérie d'hommes catholiques charitables bien vus dans la paroisse et qui ne se tenaient pas dans les *poolrooms.* J'ai dû me contenter des petites jasettes rapides deux fois la semaine. Dieu veillait toujours...

Jusque-là, je n'avais rien vécu d'assez sérieux, rien qui aurait pu lui faire compétition. Je croyais vraiment que Dieu était une personne. Le calme, la confiance et l'assurance que suscitait sa présence ressemblaient étrangement aux sentiments que j'éprouvais envers mon papa et ma maman, en plus forts et plus mystérieux. Il avait un désavantage : il n'avait ni chair ni os. Ma cousine Arlette, toutefois, en était bien pourvue. Elle avait dix-sept ans et nous, les cousins, en avions plus ou moins quinze. On faisait la file au party du Jour de l'an pour danser avec elle. Mon tour revenait plus souvent que les autres. Danser un *slow* collé avec Arlette, ça donnait chaud au corps et faisait perdre contact avec ses sens, sauf un. Et elle le sentait bien, la vlimeuse. Un jour d'hiver, nous étions sortis en famille pour aller glisser sur les pentes du coteau des Hêtres. Au retour, tous entassés derrière la camionnette sur des matelas, nous dormions les uns sur les autres. Chacun essayait de se trouver une position confortable. La meilleure que j'avais trouvée était de poser ma tête sur la poitrine d'Arlette en faisant semblant de dormir. Comme un enfant qui veut être rassuré, j'y posai ma main. Elle ne bougea pas. J'ai toujours cru qu'elle dormait. Allez donc savoir... Il n'y avait aucun danger que je tombe en amour avec elle, c'était ma cousine, je pouvais m'aventurer. À la finale, le jaloux d'en Haut gagnerait la partie.

Le chanceux, il n'a pas été mis à l'épreuve lorsque je fis la connaissance de Jasmine. La lutte ne fut même pas serrée. Une fille parfaite pour moi, sans danger que je m'amourache. Autant ma cousine était chaude et enveloppante, autant la belle Jasmine était distante et réservée. Une fille de riche. Mon père, cette fois, n'avait rien à redire. Surtout qu'avec elle, il ne s'est rien passé. J'ai dû attendre ma dernière année de collège pour savourer mon premier french kiss.

J'avais dix-sept ans. Je passais la fin de semaine chez le Grand Pierre, un confrère de classe. Chaque fois que je le visitais dans sa petite ville de quatre mille, j'éprouvais une liberté nouvelle, bienfaitrice, loin des yeux des instituteurs, de mes parents, mais jamais de ceux du Père... Les siens étaient toujours braqués sur mon cœur qu'il voulait pur. Moi, je le voulais battant.

Avec Pierre et ses amis, je fréquentais le *poolroom*, perdais des sous dans les *slot machines*, jouais dans les machines à boules et zieutais les belles blondes des autres. Et voilà que pendant ce week-end-là, un couple s'est défait. J'avais le champ libre pour inviter la fille à danser le samedi soir. Faut battre le fer quand il est chaud.

Lison et moi, nous nous adonnions bien sur la piste, et nous sommes bien amusés, à tel point qu'à la fin de la soirée, je me suis permis de lui offrir de la reconduire chez elle. Je n'avais jamais vécu une situation pareille : sur la banquette arrière d'un taxi, dans le noir, avec une femme qui te prend la main, s'amuse à glisser ses doigts entre les tiens... Lison appuya sa tête sur mon épaule et respirait doucement en silence. Jamais je n'aurais pensé qu'un simple souffle de femme puisse m'exciter autant. Je déposai mes lèvres sur sa tempe. Elle ne bougea pas, moi non plus.

Après un bon moment, elle offrit son visage et déposa ses lèvres sur les miennes. Puis lentement, bien lentement les ouvrit. D'un bout à l'autre de moi fusait une activité nouvelle, douce et violente à la fois, comme un engourdissement savoureux que je ne voulais pas perdre qui s'amplifia quand la langue de Lison se mêla à la mienne. Je posai ma main sur sa joue pour mieux goûter le fruit que je dégustais avec appétit. Il fut tout de même court, ce long baiser : l'auto s'immobilisa, nous étions rendus chez elle. Nous nous sommes regardés avec insistance en souriant et elle sortit. À travers la porte ouverte, je l'ai invitée au cinéma du dimanche après-midi. Dommage, elle avait un travail d'études à remettre le lundi. Nous ne nous sommes jamais revus.

Là, Dieu n'y était plus. Une langue de femme ne fait pas bon ménage avec la parole de Dieu, prêchait-on. Je le croyais aussi. Pour avoir l'âme en paix, je me suis confessé à un prêtre d'avoir embrassé une fille la bouche ouverte. C'était commode pour faire taire ma culpabilité. Ce système fonctionnait. Au fond, Dieu était responsable d'avoir cautionné la liste de péchés dressée par les curés et de s'être installé aux portes de ma conscience. Lui seul pouvait me faire réintégrer sa maison et rétablir le lien. Bon père aimant, il joua son rôle à merveille. Si mon « péché » était désormais derrière moi, l'amour des femmes resterait à tout jamais gravé dans mon cœur.

L'Appelé

Dessiné blanc sur noir au tableau de ma vie, mon destin m'avait amené à être pensionnaire au collège Bourget, à Rigaud, le pays de mes ancêtres. Comme la plupart des collèges classiques qui ont fait leur apparition au Québec au dix-neuvième siècle, le Bourget avait pour mission de former l'élite masculine du pays, et pour espoir de regarnir les rangs de l'Église d'ici, qui avait tant besoin de prêtres. Situé aux frontières du Haut et du Bas-Canada, ce collège permettait aussi aux Canadiens français de l'Ontario de venir s'y instruire dans leur langue.

Je me sentais chez nous dans cette vieille bâtisse grise située sur le flanc du mont Oscar. De mon pupitre, près des fenêtres de la salle d'études, je pouvais distinguer au loin les terres de ma tante Brunette. On y descendait dîner avec ma famille le dimanche, quand ce n'était pas chez l'une ou l'autre de mes grands-mères. J'y ai bouffé du rural tout le temps de mes études. À table, la conversation variait au rythme des saisons du cultivateur et portait sur les cercles des fermières, les coopératives laitières, les trayeuses nouvellement arrivées sur le marché, les machines agricoles, le chauffage de l'église, les manies du curé et les mauvaises politiques des rouges, car dans ma famille, on votait bleu. Je me sentais supérieur à eux, toujours un pas d'avance : je fréquentais un collège classique ! Pourtant j'étais enfermé dans un contenant, comme eux. Si le collège ouvrait mon esprit à de nouvelles connaissances et mon cœur à de nouveaux amis, j'y ai fait mes premiers pas dans un monde fermé au changement.

Le jour de la rentrée, je me suis présenté au bureau du préfet des études avec mon père et ma mère, qui priaient tous les soirs pour qu'une vocation pousse sur leur territoire. Planté entre eux, en face du sérieux monsieur en soutane, je faisais mon fier ado de treize ans qui quitte la maison pour entrer à la grande école. Puisque le collège offrait des bourses aux élèves qui opteraient pour la prêtrise à la fin de leur cours, le bon père me questionna à ce sujet. Je ne m'y attendais pas du tout. Je ne m'attendais pas non plus à répondre sans hésiter que je voulais devenir prêtre. Jamais ce secret tapi en moi depuis ma petite enfance n'avait franchi le seuil de ma bouche.

Oh, si, une fois… Durant l'hiver de ma dernière année du primaire, j'étais appuyé à la bande de la patinoire de l'école de mon village en train de regarder une partie de hockey, quand le père aumônier s'est approché de moi et m'a demandé, sans aucun préliminaire, si j'avais déjà songé « à faire un prêtre ». Sans doute mon allure de vertueux petit garçon blond de bonne famille lui donnait à penser qu'il pouvait se cacher du curé en moi. Je fus poli et répondis oui. Je n'étais pas intéressé à ce que la conversation se prolonge. Je ne tenais pas à ouvrir la plaie du sacrifice que je faisais d'obéir sans rechigner à un appel qui m'apparaissait, à mesure que je grandissais, plus exigeant et plus réel. Tout cela n'était pas de ses affaires. Il avait beau être un émissaire de Dieu, ce n'est pas avec ce maladroit personnage que je voulais traiter de mon avenir.

Devant mes parents et le préfet, j'étais démasqué. Je n'étais sans doute pas le seul à avoir reçu l'appel. Bien malin celui qui aurait pu identifier les heureux élus. Aucun jeune n'était assez cave pour se vanter qu'il acceptait de se castrer *ad majorem Dei gloriam*, pour la gloire de Dieu !

À la sortie du bureau, j'eus la chance de ne pas me retrouver désemparé et fin seul dans mon embrigadement. Par l'intermédiaire d'un frère de l'école primaire, ma famille avait été mise en contact avec une autre famille dont le garçon entrait au collège en même temps que moi. Une fois les lieux visités et les affaires casées, nos deux familles saisirent l'occasion de faire plus ample connaissance au parloir. Pierre et moi trouvions ça plate d'assister bien tranquilles au spectacle de leurs échanges. Nous avons vitement embrassé nos parents avant de nous diriger, le cœur léger, vers la cour de récréation. J'étais entré au collège pour faire de longues études. J'ai découvert rapidement qu'à cet endroit, je me ferais un tas d'amis, que je jouerais à plein de jeux et que j'étudierais bien peu.

Ça allait se confirmer quelques semaines plus tard à la remise des bulletins bimensuels. Une honte : au premier bulletin, j'ai eu cinquante-huit pour cent. À l'école primaire, je m'étais tenu dans les quatre-vingts, et me voilà dans la zone des nuls et des paresseux. Se pouvait-il que je ne fusse pas assez intelligent ? Ce pourcentage révélait-il mon vrai potentiel alors que les autres, qui devaient être des premiers de classe chez eux, étaient plus brillants que moi ? Il fallait donc jouer un peu moins et étudier un peu plus. Au bulletin suivant, j'eus cinquante-neuf pour cent, la note idéale pour être convoqué chez le préfet des études. « Mon garçon, me dit-il, tu es capable de nous en donner plus, sinon… » Sinon, je deviendrais un *C*.

Le cours normal des études classiques durait huit ans. Aux petits bolés, on permettait de faire le parcours en sept ans. Ils étaient sélectionnés dès l'entrée et départagés en deux groupes : les super bolés en Élément A, les bolés tout court en Élément B — dont je faisais partie — sautaient la troisième année. Les élèves d'Élément C étaient considérés des cerveaux plus lents. Je ne me trouvais pas plus nul que mes amis avec qui je jouais dans la cour. Surtout, je ne voulais pas perdre le privilège de passer pour un petit brillant.

Au bulletin suivant, je grimpai à soixante-deux pour cent, juste assez pour faire mon cours en sept ans... Je ne changeai pas de cap pour autant. Jouer avec mes amis passait avant les études. On avait congé les mardis et jeudis après-midi, et le dimanche. Quand je m'éveillais le lundi matin, je flânais sous les couvertures, j'étais triste, je devais attendre une journée et demie avant de pouvoir profiter d'une longue période pour m'amuser. Les mardis et jeudis matins, je sautais vite au bas du lit tout à ma hâte que la matinée passe. Avec un régime pareil, j'aurais pu être classé inapte à la prêtrise. Mais Dieu veillait toujours au grain... ou à sa graine, c'est selon.

Il devait forcément l'entretenir lui-même, car je n'étais pas un enfant pieux. Je ne retrouvais pas dans l'enceinte de la chapelle l'empreinte du sacré de la chapelle des sœurs de ma tendre enfance ni de l'église de ma paroisse le dimanche. Ce n'était pas parce que j'avais joué au prêtre quand j'étais petit que j'étais porté à la contemplation de Jésus-hostie lors de la célébration de la messe. Tous les matins, la cloche du dortoir sonnait à cinq heures quarante, et nous descendions en troupeau à la chapelle pour participer à la messe et à la sainte communion. J'avais trouvé des positions pour dormir sur mon banc ou sur l'agenouilloir sans que le surveillant s'en aperçoive. À la messe du dimanche, il fallait être plus vigilant, car l'assemblée était surveillée par le préfet de discipline. Étant plus solennelle, la messe s'étirait et il fallait être sage plus longtemps. Chez les scouts, on m'avait attribué le totem de « chèvre loquace ». Ce titre me définissait bien, puisque je jacassais tout le temps quand il fallait être attentif ou sérieux : c'était la source de toutes les claques que j'ai reçues à l'école. Un bon dimanche, après un sermon plate et long, pendant que la chorale chantait le *Credo*, je me mis à faire des farces et à rire avec mon ami Pierre. Je n'avais pas vu venir le préfet dans la grande allée. Les voleurs débarquent toujours quand on ne s'y attend pas. Je me suis arrêté net, mon cœur aussi. J'étais pris. S'amuser dans un endroit sacré était un manquement grave. J'allais y goûter. Puisque le père Machin a continué son chemin sans intervenir, j'ai cru qu'il ne nous avait pas vus et que nous allions nous en sauver. J'ai prié fort durant le reste de la messe pour que Dieu intervienne en ma faveur. Il a fait le mort. À la sortie, le directeur nous prit par la manche, mon ami et moi, et nous ordonna d'aller l'attendre à la porte de son bureau. Humiliation suprême!

Les cinq cents élèves du collège et les professeurs ont défilé devant nous, les deux innocents turbulents, en nous zieutant avec un petit sourire qui en disait long. Je tremblais tellement j'avais peur. Je n'avais jamais « mangé la banane » de ma vie. Des claques, oui, mais pas la *strappe*. Tout ce qu'il faut pour faire frémir un jeune de treize ans en attente de son supplice. Il me restait un argument en ma faveur : mon père connaissait bien ce père. Il était allé à l'école avec lui. Je comptais là-dessus aussi pour qu'on m'épargne. J'attendais mon tour alors que j'entendais les cris et les pleurs de mon ami de l'autre côté de la porte. Je me suis mis à prier encore plus. Puis à mon tour je suis entré. Le bourreau m'attendait, impassible, avec son instrument de cuir. « Ta main », m'a-t-il dit sur un ton hésitant qui m'a surpris et me fit espérer. Sa bonne relation avec mon père aurait-elle finalement une influence ? Mais non. Paf! Et re-paf dans ma main tremblante. Des larmes coulaient sur mes joues. Deux autres *paf*. Tu n'as donc pas de cœur, maudit gros écœurant, que je me suis dit, en abaissant ma main souffrante le long de mon corps. Comble de l'épreuve, il m'attira vers lui et voulut me consoler en me serrant la tête sur sa poitrine. Re-gros-écœurant! Pendant longtemps, j'ai rêvé que je lui administrais un coup de genou dans les gosses pendant qu'il tentait lâchement de s'excuser. J'ai vite séché mes larmes et me suis enfui au fond de la cour, sans regarder personne. Heureusement, c'était dimanche, et je me suis défoncé à jouer pour oublier.

La claque sur la gueule ou derrière la tête, le serrage de bras et la *strappe* faisaient partie de l'arsenal commun à la disposition des surveillants pour nous corriger ou nous faire réfléchir. Les heures de silence au pied d'une colonne de la salle de récréation ou des pages et des pages de copiage n'étaient pas suffisamment humiliantes, semblait-il. Une bonne claque sur la gueule qui résonne fort en plein réfectoire, voilà qui assure l'ordre dans la place. Nous, les élèves, trouvions ces méthodes brutales et sauvages. Mais il n'était jamais question de nous rebeller. Il suffisait de ne pas se faire prendre.

Pierre et moi n'avions pas conscience d'avoir troublé la paix de la cérémonie en chuchotant quelques phrases à la chapelle. Nous ne méritions pas la *banane*. Je ne me suis pas corrigé de cette habitude pour autant. Je ne devins pas plus pieux non plus. Même que plus je grandissais, moins je l'étais. Plus jeune, à la maison, j'avais souvent l'occasion de prier, seul à seul avec mon inconnu d'en Haut, mon interlocuteur dans le malheur. Je ne pouvais passer à côté. En fin de journée, à genoux près de mon lit, je vivais un petit moment d'intimité, à l'écart, connecté à une autre dimension. Au collège, le surveillant du dortoir marmonnait au loin la même prière tous les soirs au nom de la centaine de petits garçons qui avaient les deux genoux par terre et le haut du corps avachi sur leur lit. Il fallait plus que de la foi pour que Dieu y soit.

Les chèvres loquaces n'ont pas de mal à se faire des amis, à condition de ne pas l'être trop. J'étais habile à entrer en contact avec les autres, talent sans doute initié par ma quête de tendresse maternelle. Je tenais aussi cela de mon père, le charmeur. Je l'entends encore, alors que j'allais livrer du *7Up* avec lui à huit heures du matin chez les vieilles épicières anglaises de Lakefield. Elles venaient à peine de se lever, je n'étais pas très éveillé non plus, et lui, le regard ouvert, la voix tonnante et dégagée, il lançait d'une voix hospitalière en entrant : « Good morning, Madame ! Good morning ! » comme s'il leur annonçait que le soleil brillerait tout l'été. Une bonne nouvelle ambulante, mon père, voilà ce qu'il était. Ce n'est un secret pour personne qu'un visage souriant est plus vendeur qu'une face de bœuf. Mon père appuyait souvent ses paroles d'un geste. Il touchait les gens, sans les gêner. Inconsciemment, je me suis modelé sur lui.

Équipé de même, je n'ai pas mis de temps à connaître le prénom de tous les gars de ma classe, et même le nom de leur patelin : Saint-Antoine-Abbé, Terrebonne, North Bay, Saint-Bruno, Montréal, La Prairie, Les Cèdres, Montebello. C'était l'occasion d'élargir mes horizons et d'apprendre qu'aucun n'était fils de médecin, de notaire, d'avocat ou d'industriel. Nous étions tous socialement égaux. Aucun ne se démarquait, si ce n'était par ses notes aux examens ou son habileté dans les sports. Sauf un qui pétait plus haut que le trou, un Français nouvellement débarqué en nos terres. Une grande gueule pas gênée, le seul à porter des lunettes dans le groupe. J'en ajouterais un autre, un gars de Montréal abonné au journal *Le Devoir*, qu'il pliait en quatre, enfouissait dans sa poche arrière et baladait d'un bord et de l'autre en marchant. J'enviais son ouverture d'esprit. Il devait savoir, lui, que Paul-Émile Borduas et son groupe avaient signé le *Refus global* quelques années auparavant pour remettre en question les valeurs traditionnelles. Sans doute était-il au courant de la parution de la seule revue d'idées progressistes au Québec, *Cité Libre*, qui militait pour la liberté d'expression et combattait les pratiques antidémocratiques de Duplessis sur lesquelles le clergé fermait les yeux.

Pas une fois, ni de mon confrère ni d'ailleurs, n'ai-je entendu parler du mouvement indépendantiste naissant ou de la nouvelle émission de télé, *Point de Mire*, traitant des affaires internationales et animée par le jeune René Lévesque. Tout au long des années cinquante, Georges-Émile Lapalme, chef du Parti libéral et grand défenseur de la culture québécoise, ne réussissait pas à proposer au peuple une option forte et rassembleuse. On lui préférait l'esprit conservateur de l'Union nationale de Duplessis.

Je ne sais ce qui m'a empêché toutes ces années de tirer le journal de la poche du Montréalais pour satisfaire ma curiosité, pour être comme lui. C'était un intellectuel, moi, un sportif pratiquant. Faut croire aussi que les petits et les grands chambardements de la société québécoise étaient bien loin de mon esprit limité au contenu de mes cours. Les affaires publiques des Grecs et des Romains, le brassage d'idées sur l'agora d'Athènes et la fonction sociale du forum à Rome ont davantage attiré mon attention. Je me suis battu pour me familiariser avec les langues de ces civilisations anciennes d'où nous tenons la nôtre.

La découverte de ces cultures me faisait sortir de chez moi et de la campagne de mes grands-mères. Ce sont les coutumes et les valeurs de ces sociétés mémorables qui ont formé mon idée de société. Et qui ont éveillé ma sensibilité à l'art. Le prof de latin et de grec avait l'habitude d'exposer sur les murs de la classe des photos d'œuvres d'art de ces époques antiques. L'une d'elles représentait un ange sculpté dans la pierre. Je ne comprenais pas pourquoi on avait conservé et exposé cette pièce dans un musée : l'ange n'avait pas de tête, il lui manquait une aile, me semblait-il, et il portait le curieux nom de Victoire de Samothrace. Tous les jours, je l'avais dans la face. Petit à petit, je m'y suis habitué, j'aimais zieuter mon ange en entrant dans la classe. Le vide entre ses deux épaules m'importait peu finalement, son corps me parlait, il prenait son envol juste pour moi. Les plis de sa robe me racontaient une histoire. J'avais hâte de revenir en classe pour le retrouver. L'espace d'un instant, j'adhérais à quelque chose d'insaisissable, comme si je communiais à l'ivresse de l'artiste. Cette sensation, c'était tout nouveau pour moi.

Une réaction semblable s'est déclenchée à l'occasion de mes premiers contacts avec Vittorio de Sica. Le cinéma italien néoréaliste tranchait sur tout ce que j'avais vu jusque-là. J'avais treize ans, à ma première année au collège, lorsqu'on a projeté *Le voleur de bicyclette* et *Umberto D.* Ces films, pourtant lents, en noir et blanc, faisaient beaucoup plus que me distraire : ils me prenaient par les tripes et me faisaient réfléchir sur la vie, la mort, la solitude...

À cet âge, je goûtais aux arts de façon inconsciente, sans me rendre compte que je pouvais également nourrir mon âme de cette façon, y trouver le calme, l'oubli, la transcendance; sans que je sache si ça se passait dans ma tête ou dans mon corps. Aujourd'hui je peux assimiler cet état à l'ambiance de sacré dans laquelle je baignais à l'âge de six ans, dans la chapelle des religieuses. L'art peut être porteur de sacré, autant que le religieux. Serais-je devenu sculpteur, peintre, architecte ou même réalisateur de grands films si j'avais su nourrir cet amour naissant pour les beaux-arts et le cinéma ? Peut-être pas. Peut-être que je n'ai que flirté avec cette part de moi parce que j'étais déjà trop engagé ailleurs. Mon corps, mes mains, mes jambes, ma tête avaient un brûlant besoin de s'exprimer dans un élément connu, où je me trouvais bon et accepté, le lieu de la rencontre et de l'adresse : le jeu.

Dès le jour de la rentrée, j'avais montré mes couleurs de garçon sportif. À la maison, mes frères et moi jouions au ping-pong et au *deck-tennis*, un sport maintenant pratiqué seulement sur les paquebots de croisière qui consiste à lancer au-dessus d'un filet un anneau de caoutchouc vulgairement appelé *zoune*. Forcément, en arrivant au collège, j'excellais dans ces deux sports et je m'y adonnais presque tous les jours durant les récréations. J'étais gourmand, j'en voulais plus : volley-ball, balle molle, billard, drapeau, balle au mur. Sans parler des sports d'hiver... Mais j'étais moyennement compétitif. Un score serré en fin de partie n'éveillait pas chez moi cette rage de gagner qui anime les *winners*. Sauf au ping-pong, où j'avais une confiance écrasante. Mon cerveau avait si bien enregistré mes coups victorieux que je pouvais les reproduire à volonté. Je n'ai connu de tels moments d'assurance que lors des exercices de mathématiques. J'adorais résoudre les problèmes d'algèbre. C'était un jeu pour moi. En fait, j'ai joué mon cours classique.

Petit garçon, je me savais habile et inventif, assez intelligent pour bien réussir en classe, et choisi par le Bon Dieu pour faire un prêtre. Maintenant adolescent, je n'avais plus cette vision claire de moi. Je n'étais plus que moyennement intelligent et pas ingénieux du tout. Le ping-pong, les jeux de balle... c'était bien peu pour asseoir mon identité.

À cet âge, quand on se déprécie, la considération des autres rend la vie plus acceptable. Heureusement, je pouvais compter sur plein d'amis. Sur Benoît, surtout.

Benoît et moi étions très proches. Une « amitié particulière » comme disaient nos maîtres au collège. Nous passions beaucoup de temps ensemble à flâner, accoudés aux fenêtres qui donnaient sur le préau. Je désirais toujours sa présence. Lorsque je le voyais avec d'autres gars, j'étais jaloux. Nous nous aimions, je crois. Le jour où j'ai commencé à sentir le sang s'activer dans mes veines à son contact, à désirer le toucher et jouer du corps à corps avec lui, j'ai pris peur. L'attirance était forte. Cette amitié particulière faillit prendre en feu et me chauffer les fesses, mais j'ai soufflé sur la flamme du cierge avant que la cire coule.

Pourquoi ne suis-je pas allé au bout de cette aventure amoureuse? La crainte de la foudre du Dieu vengeur? La peur de Le décevoir par mes « mauvaises actions »? Comme beaucoup de bons garçons de mon âge, je tenais à garder bien naïvement mon âme propre. De Rome au plus petit village éloigné du monde, la toute-puissante Église catholique exhortait ses fidèles à ne jouer du sexe qu'en mariage et, plus important encore, à ne pas s'y adonner avec un partenaire du même sexe. À prendre ou à laisser. Ôte les mains de tes poches. Ne flâne pas sous la douche. Dors les bras sur la couverture. Va communier le plus souvent possible, et va à la confesse pour te faire pardonner. On ne faisait pas de quartier pour les pauvres ouailles qui voulaient explorer la chose.

La promiscuité des pensionnats de jeunes garçons favorise-t-elle l'amour entre hommes? Ai-je été témoin de telles amours? Ce n'était pas le genre de choses qu'on vivait au grand jour. Parfois, un grand des hautes classes se liait d'amitié avec un plus jeune, qu'on appelait petit *best*. J'ai moi-même été le *best* d'un plus grand pendant un certain temps. Jamais il ne m'a touché. Nous étions amis. Qui sait ce que faisaient les autres?

Qui pense aux pensionnats pense souvent à la pédophilie. Honnêtement, je n'ai jamais été victime ni témoin d'horreurs du genre. L'un ou l'autre de nos maîtres ou surveillants avaient la réputation d'être des *toucheux*. Les pères « matamain », comme nous les appelions. Encore là, aucune preuve, aucun aveu, aucune accusation, seulement des suppositions à propos de deux ou trois pères sur la cinquantaine de religieux dans la place. C'était déjà trop.

De toutes mes années au Bourget, je n'ai entendu parler que d'un cas de pédophilie : l'ami d'un ami aurait couché avec le surveillant du dortoir. Le jeune s'en était même vanté à sa gang de chums. Je connaissais le père. Je n'en revenais pas. Il avait beau être maniéré et se dandiner en marchant, se pouvait-il qu'il ait couché avec un jeune ? J'étais tellement naïf que je ne pouvais pas imaginer la scène. Je ne connaissais même pas le sens du mot *sodomiser* ! Le sexe était tabou, occulté ; on n'en connaissait réellement ni la forme, ni la couleur, ni l'odeur. Ça existait, mais pas chez nous ! Seulement dans les farces cochonnes. La gravité de la chose ne nous sautait pas dans la face. Le poids de l'autorité des soutanes était si bien encadré par l'institution, si soutenu par l'image forte du père dans la société, et pas encore ébranlé par le soulèvement des mères, que la loi du secret se perpétuait en silence.

En fin de compte, mes années formatrices, je les ai passées bien enroulé dans la ouate. J'étais passé par un col périlleux à ma naissance, puis, entouré du chaud cylindre familial, je me suis vite retrouvé dans un entonnoir, conditionné par les désirs de ma mère, l'atmosphère de la chapelle des sœurs, la religion d'État du temps, le haut rang social du clergé, ma nature de bon petit garçon qui ne sait dire non et ma bonne relation avec l'Au-delà. Appareillé de même, je ne pouvais que sortir frais et prêt à être mis sur le marché ecclésiastique. Aurais-je pu m'ouvrir grand les yeux, relire mon passé, et devenir subitement conscient des barreaux de ma prison dorée ? Je ne crois pas. Seuls ceux en qui a été semée une graine de révolution ont le courage de s'aventurer à contre-courant de la rivière où ils ont baigné.

Quand je me suis présenté à la chapelle un bon soir, à la dernière année de mon cours, pour entrer dans ce qu'on appelait la semaine de retraite de décision, j'étais déjà cuit. La pressante proposition qui m'avait été mystérieusement faite de devenir un bon vieux curé de campagne pour aider le monde avait tenu le coup. Avec des pauses plus ou moins longues, des brisures de communication et des amendements, mais quant à l'essentiel toujours intacte. Pour montrer à Dieu que je ne me donnais pas si facilement à lui, je m'étais procuré de la documentation sur le cours universitaire en ingénierie qu'offrait gratuitement l'Armée canadienne en échange de cinq années à son service. Une espèce de plan B imaginaire.

Comme Dieu n'avait pas précisé la couleur de la soutane que j'allais porter, j'avais le choix entre le blanc des missionnaires d'Afrique, le noir des prêtres séculiers de paroisse, le brun des Franciscains ou le noir des Pères enseignants. Pas question que je me porte volontaire pour l'Afrique : je n'avais rien d'un aventurier, j'avais peur des couleuvres et des souris. Les prêtres de paroisse, je ne connaissais toujours rien de leur emploi du temps la semaine. Je n'avais jamais vu un franciscain de proche. Alors je suis allé au plus court et au plus connu : j'ai finalement troqué le projet de curé de campagne pour celui d'enseignant de collège. La majorité de ceux croisés dans les corridors, en classe, à la récréation, au dortoir ou à leur bureau me semblaient du bon monde, compétents, dévoués à leur tâche, chaleureux et humains. Et des Farley, il devrait y en avoir dans toutes les classes où j'aboutirais. C'est dire comment je faisais aveuglément confiance à Celui qui m'avait conduit jusque-là.

Au jour solennel, appelé dimanche du dévoilement des vocations, devant les parents et les amis j'ai officiellement annoncé que j'allais devenir prêtre de l'Église catholique. On a épinglé un ruban blanc à ma boutonnière, ainsi qu'à six autres de mes confrères. Je ne pouvais plus me cacher.

Le Moinillon

Chez nous, il n'y avait pas de sous-sol. Mais chez mes amis, les sous-sols étaient aménagés avec du préfini brun sur les murs, des tuiles blanches en *ten-test* au plafond, un prélart en linoléum chamarré au plancher et un comptoir à boisson dans le coin. L'idéal pour un party du samedi soir. Je n'en ai pas manqué un durant le mois de juillet de mes vingt ans. J'allais passer ma vie à marcher sur les traces de Jésus, je trouvais normal de profiter de mes dernières enjambées de liberté pour m'éclater en dansant du rock'n'roll. L'été de 1958 suivait la cadence de *Blue Suede Shoes* d'Elvis, qui venait d'atterrir au *Hit Parade*. Quel rythme ! On était loin de la valse, et même de la samba, du tango et du cha-cha-cha dont ma sœur m'avait appris les pas de base.

J'adorais danser. Seulement, je ne parvenais pas à me démener et me défouler autant que ma partenaire. Si mes jambes s'accordaient bien à la musique, le reste du corps hésitait, mes tripes ne voulaient pas suivre. Étais-je donc condamné à ne jamais m'exciter comme les autres ? Cette musique qui transportait mes compagnes et compagnons dans un ailleurs nouveau me rappelait que j'avais choisi une voie bien étrangère à la leur.

J'allais devoir composer avec cela : le rock était né pour ne pas mourir. Elvis avait brassé la cage à Ottawa l'année d'avant. À la une du journal *Le Droit* du 4 avril 1957, une photo de jeunes filles en pâmoison devant le King sur la scène prenait toute la page. On titrait le tout : « Les belles et la bête ». Dans *La Presse*, on se demandait si cette musique infernale et barbare qui dégrade les jeunes en jeans bleu délavé ne serait pas le produit d'une civilisation décadente. *Le Devoir* parlait d'exploitation des bassesses humaines. On prédisait que la vague rock'n'roll ne durerait pas plus longtemps que celle des *zoot suit*... Bref, ce qui emballait les jeunes de mon âge et réveillait leurs instincts dormants ne faisait pas sonner les mêmes cloches dans la tête des adultes de la fin des années cinquante, et des enfants de chœur comme moi. On soupçonna le cardinal Léger d'avoir usé de son influence pour que le spectacle d'Elvis s'arrête aux portes de la province. L'Église faisait toujours bonne figure, c'était un acteur dominant de la scène politique. Les fidèles remplissaient encore les églises le dimanche, les sept sacrements tenaient à peu près le coup, les commandements de l'Église aussi. Le chapelet en famille conservait son temps d'antenne à la radio. Les communautés religieuses n'avaient pas leur pareil dans les domaines de la santé, l'éducation, l'aide sociale. Beaucoup de jeunes garçons et filles grossissaient leurs rangs, les grands séminaires débordaient. Tandis que les artistes, les écrivains, les intellectuels dénonçaient haut et fort l'étroitesse d'esprit malsaine de nos institutions et l'ambiance sociale crétinisante, la chrétienté québécoise était en bonne santé et sa température restait stable. La nuit était calme, étoilée, sans trop de nuages. Le soleil s'était couché à l'ouest, rouge. Il faisait beau et chaud sur les terres catholiques de la province. Pour que six beaux jeunes hommes de vingt ans empruntent une allée bordée de sapins bleus un dimanche après-midi d'août 1958 dans le but de s'enfermer dans un noviciat, le ciel devait être clément. Un temps orageux aurait-il fait naître le doute ? Non. Nous avions le cœur léger, mes confrères et moi, poussés par les quelques millions de personnes au pays qui nous encourageaient à donner notre vie pour porter leur croyance, la fêter et la défendre contre vents forts et mers houleuses.

Le matin du quinze août, jour de mon anniversaire, je me suis éveillé, ai sauté de mon lit, fait ma toilette, enfilé chemise et pantalon, et boutonné ma première soutane. Vingt-huit boutons. La veille, lors d'une cérémonie solennelle, devant parents et amis, j'avais revêtu ce nouveau costume qui allait désormais marquer mon statut dans la cité des hommes.

Encore fallait-il habiller mon âme, qui n'avait pas l'étoffe d'un moine fervent. Auparavant, depuis la cour du Bourget, j'avais observé l'immeuble du noviciat, réfléchissant aux sports qu'on pourrait jouer en ses murs... Candeur, quand tu nous tiens! Pourquoi avoir choisi cette vie, somme toute lourde d'implications, si je la prenais tant à la légère? J'avançais à l'aveugle, sans trop penser à l'avenir, sans trop me poser de questions. Pour tout dire, je n'avais que de la bonne volonté pour meubler mon intérieur. Et la certitude que c'était là mon destin. J'avais tout à apprendre.

D'abord, il fallait apprivoiser les lieux où j'allais être enfermé pendant trois cent soixante-six jours pour tester mon aptitude à vivre en communauté et à supporter trois heures de prières quotidiennes. Une haute haie, où nichaient des dizaines de jaseurs des cèdres, clôturait l'aire de récréation. C'était l'endroit tout désigné pour parler, déblatérer, nous amuser et endurer avec un minimum de charité les confrères achalants. Dans la bâtisse, le silence régnait presque tout le temps. Pour une chèvre loquace, c'était très éprouvant. C'est pourtant ce silence pesant qui m'a sauvé : de jeune homme éparpillé, je suis devenu un moine modérément concentré.

Dans ce cocon ascétique, tout me ramenait à l'essentiel de ma présence en ces lieux : l'architecture romane bâtarde mais agréable du réfectoire, les planchers de bois craquants comme ceux de la petite chapelle des sœurs où j'avais servi la messe, l'éclairage tamisé dans toutes les pièces... On sentait le recueillement et la dévotion dans l'air. Toutefois, le spectacle des lits blancs religieusement alignés, qui s'offrait à moi tous les soirs en entrant dans le dortoir, m'obligeait à assumer mon présent. Comme j'ai désiré avoir mon petit coin à moi la nuit venue... J'en avais plein le casque des odeurs nocturnes de masse. Je les avais endurées durant sept ans au collège. J'aurais bien mérité une chambrette : je donnais ma vie! Mais bon, ce n'était ni le premier ni le dernier de mes sacrifices.

Le projet qui avait été soufflé à mon oreille une quinzaine d'années auparavant allait de l'avant. Ma réponse tenait le coup. Le même demandeur au bout du fil, invisible, mais pour moi bien réel. Sans Lui, je n'aurais pas franchi l'allée de sapins bleus. Pour survivre à cette année de formation, je ne me reposais que sur Lui, mon guide, son épaule, son amour...

Au fond, entrer en religion, ce n'est pas sorcier. Il faut une bonne base : être un chrétien croyant vraiment que Dieu l'appelle à son service. Le reste, c'est du conditionnement pour se mettre en forme spirituelle. Nos maîtres servaient d'instructeurs. Pour tout dire, ils n'étaient pas de vrais maîtres. Ils faisaient certainement leur possible, mais semblaient là bien plus pour nous éprouver que pour nous guider. Oui, ils nous ont parlé des Thérèse d'Avila et de Lisieux, de Jean de la Croix ou d'Ignace de Loyola, sauf que nous, jeunes moinillons, aurions eu besoin d'un vulgarisateur charismatique pour nous apprendre à méditer avec un peu d'entrain, ou d'une sorte de *Mysticité pour les nuls*. On se rabattait sur les moyens traditionnels de l'Église pour communier à Dieu : la prière et les sacrements. Ça fonctionnait encore.

Douze longs mois et d'innombrables longues heures de ma vie passés sur ces bancs de classe ont été consacrés à l'étude de l'histoire de ma communauté de frères et de pères enseignants, ainsi qu'à l'étude du livre sacré qui aurait dû avidement nous intéresser : la sainte Bible. Cette histoire pleine de rebondissements et de mythes fabuleux nous était enseignée si maladroitement que le grand Jésus lui-même en devenait beige. La tradition, c'est rassurant, sauf que ça n'a pas une grande capacité de rétention des abonnés. Pris entre docilité et ennui, j'ai tourné mon esprit vers mon péché suprême : les plaisirs du jeu.

Rares sont les jeux où l'on a, jusqu'à la fin, des chances de rejoindre et même de dépasser ses adversaires. Le croquet, qui était devenu mon loisir préféré, est de ceux-là. Étonnamment, c'est en quelque sorte grâce au croquet que j'ai reçu ma plus surprenante leçon de l'année.

Un dimanche matin, je m'étais placé dans le dernier banc de la chapelle pour sortir de la messe le premier et réserver ma place au croquet. Une fois dehors, je me suis précipité vers l'escalier, mais comme je n'étais pas encore très habile pour courir en soutane, j'ai déboulé toutes les marches et je me suis pété la gueule sur un poteau de métal. Plus question de jouer : mon genou était tellement enflé que le frère infirmier crut que je m'étais cassé la jambe. Il m'amena au dispensaire du village. Les frères, sœurs et prêtres avaient un tas de privilèges dans l'espace public, comme être exemptés de la taxe de vente ou avoir préséance sur les autres passagers dans les autobus. Et, appris-je ce jour-là, être les premiers servis dans les urgences des hôpitaux. À ma surprise, mon accompagnateur me plaça au-devant de la file d'attente. J'avais beau être mal en point, j'avais honte de devancer les premiers arrivés, surtout que certains étaient plus mal en point que moi. Personne ne dit mot. J'étais entré chez les curés pour aider les Farley et compagnie, pas pour les écraser ! Le doute s'installa en moi : mon habit allait-il gêner ma mission ? Que symbolisait-il réellement ? Une vie d'admirable dévouement ou cet écart profond entre le commun des mortels et moi ?

Pris dans ces considérations égalitaires, j'étais loin de me douter que mon accoutrement m'exposerait également à la moquerie des bonnes gens. Une autre avarie médicale me donna l'occasion de le découvrir. Affligé de saignements hémorroïdaires, j'ai dû me rendre seul à Montréal consulter un spécialiste par un beau jour de canicule. Code vestimentaire oblige, je me retrouve dans un autobus de la ville avec ma longue soutane et mon chapeau de feutre noir sur le coco. Rien pour passer inaperçu. Les rires étouffés et les regards furtifs vers mon damné chapeau, plus que le soleil, m'ont fait suer à grosses gouttes. À la clinique, je n'étais pas au bout de mes peines. Comme de raison, la réceptionniste m'a invité à passer devant tout le monde. On me fit enlever soutane, pantalon, caleçon pour enfiler la jaquette bleue. Deux secondes après m'être allongé sur la table, l'infirmière qui assistait le spécialiste s'exclama : « Mon Dieu ! Que votre anus est irrité, mon frère ! »

Puis elle chuchota quelque chose au médecin, qui sourit en me regardant. Que j'aie eu l'anus irrité ne m'étonnait pas : je venais de sortir du collège où pendant sept ans je m'étais torché avec de la gazette. C'est le chuchotement qui m'a médusé. J'eus soudainement hâte de rentrer au bercail. Plusieurs années plus tard, davantage éclairé sur les choses d'ordre sexuel et à la lumière des dénonciations de prêtres pédophiles un peu partout, je me suis demandé si l'infirmière n'avait pas sauté rapidement aux fausses conclusions.

Heureusement, on ne sortait du noviciat que pour les cas extrêmes. L'isolement complet devait nous prémunir contre les virus du monde et les bactéries de l'air du temps qui auraient pu troubler notre esprit et empêcher le développement de notre nature d'appelé chaste et, surtout, obéissant. D'ailleurs, pendant ces douze mois préparatoires à la prononciation des vœux, le Père Maître ne manquait pas une occasion de casser notre ego. En général, je n'ai pas eu trop de mal à m'ajuster à cette nouvelle vie, sauf les jours où je devais, sous un soleil brûlant, cueillir des haricots. Ah, les maudites petites fèves jaunes ! Derrière la bâtisse, un immense jardin occupait l'espace jusqu'au pied du coteau. Et de superbes plans gorgés de haricots s'étendaient en ligne droite jusqu'aux arbres à la limite du champ. Une photo de ce jardin aurait pu gagner un prix tellement le vert tendre des plans alignés et le jaune sable des allées s'harmonisaient. Et toutes ces petites taches de jaune haricot saupoudrées à l'avant-plan du tableau semblaient là exprès pour contraster avec le vert sombre de la rangée d'arbres en fond de scène. Cette image est restée longtemps accrochée au mur de ma mémoire. Mais pas pour sa beauté.

Je me vois encore, planté à l'orée du champ, avec quatre ou cinq de mes confrères, chacun un panier en osier au bras, soutane au corps et chapeau de paille sur la tête, tous parés pour la cueillette. La première heure, j'opérais debout en me penchant et sifflotant, la deuxième, à genoux, en offrant mon sacrifice pour le salut des âmes du purgatoire, et la troisième, couché entre les plans, en bénissant Dieu de manière pas toujours catholique. Si nous devions être affectés à cette corvée à tour de rôle, mon nom figurait sur la liste à tout coup. Je n'avais pas un mot à dire. Je ne comprenais pas pourquoi on s'en prenait ainsi à moi, bête docile que j'étais. Voyait-on en moi un brin d'ivraie?

Malgré tout, je me suis payé du bon temps, comme lorsque j'ai obtenu la permission de monter *Miracle à Copertino*, une pièce de théâtre racontant l'histoire d'un saint italien du dix-septième siècle pas trop brillant — on l'avait surnommé « bouche ouverte » — mais reconnu pour son don de lévitation. C'était l'activité idéale pour moi, faisant enfin appel à mon goût pour l'art et à mes capacités de patenteux. J'ai dû concevoir le mécanisme pour que le bon frère, que j'incarnais, puisse léviter sur scène : au-dessus du panneau-ouvrant situé au milieu de la scène, je m'étendais sur une planche noire que soulevaient lentement deux frères aux gros bras, vêtus de noir, cachés sous la scène. On s'est tellement amusés à pratiquer cette scène! Le soir de la représentation, tout se déroulait rondement jusqu'à ce que, vers la fin de la pièce, au beau milieu d'une phrase ma tête ne réponde plus... Je balbutiais des voyelles, mes doigts s'activaient. Le souffleur avait beau gesticuler, rien ne me revenait. Je regardais la cinquantaine de visages indulgents devant moi. Impuissant à leur livrer la conclusion du *Miracle à Copertino*, j'ai concédé la partie, je me suis excusé et suis sorti de scène. Ce n'était pas bien grave, mon auditoire était habitué aux sacrifices et aux privations.

Le temps de mesurer le sérieux des candidats voulant s'engager dans la voie du Christ sonna enfin, et le père supérieur de la communauté nous invita à prononcer les vœux de pauvreté, de chasteté et d'obéissance, tout en promettant de vouer notre vie entière à Dieu. Le pauvre est détaché de tout, il ne possède plus rien. L'obéissant est libre, il lâche prise. Le chaste est heureux, l'amour pur lui suffit et le comble. Nul doute, voilà la recette du bonheur extrême! Empli d'une assurance nouvelle après une année d'apprentissage, d'épreuves et de petits plaisirs, j'ai répondu à l'appel de Jésus : « Va, vends tout ce que tu as, donne-le aux pauvres, viens, suis-moi. » Au banquet offert après le serment solennel, enivré de naïveté, je croyais sincèrement que ce régime serait facile à suivre : j'étais taillé sur mesure pour la tâche! Avec un bémol à la clé de l'obéissance...

L'Apprenti

Quatre ans de divine science de la théologie m'attendaient au scolasticat de Joliette, passage obligé pour être ordonné prêtre. Ma nouvelle demeure était plus ouverte sur la ville que la précédente. L'institution avait été érigée à l'emplacement d'une ferme dont les bâtiments étaient restés debout et en bon état. La ville s'était petit à petit répandue dans la campagne et avait pratiquement encerclé la place, au point où les jeunes enfants des voisins d'en face venaient régulièrement jouer sur la pelouse de notre propriété. Et pourtant, je n'étais pas plus au courant de ce qui se brassait dans le monde. Aucune clôture ne bordait notre terrain ; les limites se trouvaient dans ma tête. Pendant quatre ans je me suis borné à mes études, mes moments de méditation et de célébrations liturgiques, et mes rapports avec les autres. Cela me suffisait. Je ne regardais pas dehors.

Mes cinq confrères de collège et moi avions tous passé l'épreuve des douze mois de noviciat et formions le groupe de petits nouveaux dans la place. Pour me rapprocher des autres séminaristes déjà bien installés, je profitais des activités sportives organisées sur place, auxquelles nos supérieurs nous encourageaient fortement à participer, sans doute pour nous empêcher de craquer. La prière ne suffisait pas à conserver nos esprits sains, ils en étaient bien conscients. Certains défroquaient. Moi, j'étais heureux là-dedans. De n'avoir aucun souci matériel à l'horizon diminuait mes inquiétudes et ménageait mon cerveau, suffisamment sollicité à démêler les concepts abstraits de la théologie. J'aimais surtout la bonne entente qui régnait là-bas, grâce à la charité fraternelle que les séminaristes pratiquaient de leur mieux. Il fallait un certain degré de générosité, de commisération et de bienveillance pour solidifier les liens entre les membres du groupe, atténuer les tensions, endurer les malcommodes et les puants. Du moins, c'était ainsi que je concevais mon rapport aux autres. Sauf mon supérieur. Avec lui, j'étais à court de charité.

Dans les communautés religieuses, celui qui dirige un groupe s'appelle « le supérieur ». C'est tout dire. S'il prend son rôle au sérieux, les « inférieurs » n'ont qu'à bien se tenir. Et s'il a en plus un caractère précieux, instable et détestable, ses sujets développeront des allergies. Ce fut mon cas. Parfois, il m'irritait tellement que je le voyais dans mon gruau le matin, dans ma soupe le midi et dans mon thé le soir. J'avais beau me brancher sur Jésus qui m'appelait à aimer mes ennemis, la nuit venue je rêvais de lui infliger les pires tortures ! C'était peu chrétien, mais je me le pardonnais toujours...

Mes années de séminaire ont fait remonter à la surface certains de mes défauts de fabrication. Les occasions d'en apprendre davantage sur moi ne manquaient pas. Sur le plan de la logique, par exemple, je ne pouvais pas me mesurer à mes nouveaux amis au gros quotient. Plus jeune, j'étais bon premier en algèbre, mais le calcul intégral m'a fait perdre mes lauriers. Lorsque mes amis abordaient le second degré d'abstraction, je les laissais jargonner tout seuls. Encore aujourd'hui, quand deux négations se suivent dans une phrase, je pédale dans le vide. Par contre, lorsque venait le temps de raisonner comme du monde ou de parler de nos vies personnelles, je me sentais dans mon élément. Sur ce plancher, nous étions tous égaux. C'était le ciment de notre amitié. Et sur le plan de l'humour, je les battais tous et parvenais toujours à les faire rigoler quand leur ciboulot chauffait trop. J'ai rapidement associé mon côté bouffon au fait d'être admis dans un groupe. Et je me suis mis à apprécier la légèreté de mon être.

Les matières à l'étude, elles, n'avaient rien de léger. Les cours de Dogmatique, de Morale catholique, de Bible et d'Histoire de l'Église remplissaient nos journées, sauf les mardis et jeudis après-midi, qui étaient réservés aux distractions. La dogmatique était la matière la plus abstraite et la plus plate. Tous les mythes de la religion catholique y passaient, de la Trinité de Dieu jusqu'à l'Assomption de la Vierge Marie, en passant par la résurrection de Jésus. Le prof, un brave homme de la stricte observance, livrait son enseignement en latin, et nous devions répondre dans la même langue. Suivre ce cours exigeait beaucoup de concentration et de foi... Comme je croyais assez en Dieu pour m'être rendu jusque-là, je ne remettais pas en question l'authenticité de ces mystères. Leur recette est pas mal toujours la même : à partir du moment où le cerveau n'est pas gêné d'en accepter un, forcément les autres suivent.

Vint finalement le jour où nous devions tenter de soulever le voile qui couvrait le mystère de la Sainte Trinité. Pour rendre compte du « fait » que Dieu est la réunion de trois personnes divines, l'illustre théologien Thomas d'Aquin avait inventé les concepts métaphysiques de l'*esse in*, l'être en lui-même, et de l'*esse ad*, l'être en relation. Ainsi, Dieu pouvait être unique dans son *esse in* et triple dans son *esse ad*. Ce n'était pas compliqué. C'était pourtant très aride pour mes moyens, trop sérieux, voire ennuyant. Je me mis alors à dessiner. Et pourquoi pas dessiner Dieu ? Évidemment, Il devait être une maison, avec quelqu'un d'accueillant à la porte où on pouvait toujours frapper. Tout en griffonnant, j'ai transformé machinalement la devanture en façade d'hôtel. Et pour terminer, j'y ai installé une enseigne sur laquelle était inscrit *Esse Inn*. Je trouvais mon idée géniale et pas trop sacrilège, alors je l'ai passée discrètement à mon voisin. Je ne m'attendais pas à ce qu'elle fasse le tour de la classe et distraie tout le monde. Ni non plus à être sanctionné pour cela : j'ai purgé ma peine en faisant la lecture publique le midi au réfectoire durant une semaine pendant que les autres mangeaient en silence.

Le cours le plus intéressant portait sur la Bible. Notre prof, un père franco-américain aux fesses moins serrées que celui de la distinction des *esse*, nous tenait au courant des dernières découvertes archéologiques et des interprétations poussées des exégètes protestants. Ces derniers, qui croyaient au même Jésus que nous, n'étaient pas limités dans leurs recherches par la dictature vaticane. Il ne m'est jamais venu à l'idée de dessiner pendant ce cours. J'étais toute oreille. On relisait l'Évangile et l'histoire sainte d'une autre manière, avec moins de merveilleux. C'est là, grâce à une étude minutieuse des textes anciens et leur rapprochement avec la culture du temps, que j'ai compris que plusieurs miracles de Jésus ne tenaient pas la route. Je suis tombé de haut en apprenant que Mathieu, Marc, Luc et Jean, réputés pour avoir été divinement inspirés par l'Esprit saint, n'étaient pas à proprement parler les auteurs des Évangiles : leurs écrits étaient le produit de ce que croyaient les premières communautés chrétiennes à propos de Jésus. Ça changeait la donne : c'était de nature à fissurer ma naïveté et à faire descendre d'une marche Jésus de son piédestal.

S'il ne nous faisait pas douter de la divinité de Jésus, ce cours nous a ouvert les yeux sur l'intransigeance et l'immobilisme de l'Église. À Rome, durant ma dernière année d'étude, un vent nouveau soufflait sur le jeune concile Vatican II, présidé par le prophétique pape Jean XXIII. Au séminaire, on suivait les délibérations de près, heureux d'apprendre que ce concile ne portait pas sur l'aspect dogmatique du message de l'Église, mais sur son adaptation à la modernisation du monde et à la laïcisation des peuples. Je me foutais du phénomène par lequel un Dieu pouvait s'incarner dans les os, la chair et le souffle d'un homme; le message lumineux de ce dernier me suffisait et l'espoir qu'il suscitait m'emballait.

Cette introspection de l'Église était portée par des vagues qui la dépassaient. Même enfermé dans ma vie en vase clos, je savais qu'il s'était passé bien des choses dans ma belle province : les journaux qui traînaient dans la salle de communauté en témoignaient. Le peuple où j'allais descendre après mon ordination sacerdotale, celui-là même qui m'élèverait bien haut, avait subi plusieurs soubresauts. Le nouveau gouvernement Lesage ne s'était pas traîné les pieds et avait réalisé ses promesses de moderniser le Québec dans les domaines de l'éducation et de l'énergie. Le Frère Untel avait fait scandale en dénonçant tout à la fois l'autoritarisme religieux et la pauvreté de la langue parlée. On était un peuple de muets, affirmait-il. On avait peur de parler, de penser. Le joual était symbole de notre manque d'affirmation. La Commission Laurendeau-Dunton sur le bilinguisme et le biculturalisme concluait en 1969 : « Nous croyons qu'il y a crise : c'est l'heure des décisions et des vrais changements ; il en résultera soit la rupture, soit un nouvel agencement des conditions d'existence. » Des jeunes radicaux impatients s'étaient regroupés en petites cellules pour faire sauter des gros pétards signés FLQ. La belle paix sociale qui régnait cinq ans auparavant, alors que je boutonnais ma première soutane, avait pâli. Je débarquerais quasiment dans un autre monde. Le mouvement indépendantiste avait pris de la place avec le RIN. Nous avions même le privilège de compter parmi les résidents de notre institution un vieux père séparatiste de la première heure, qui logeait, cloîtré, au bout du corridor du quatrième étage. Nous nous regroupions autour de lui pour l'entendre lorsqu'il venait se faire couper les cheveux dans notre salle de barbier. Ce fut une révélation ! Pour la première fois, l'idée que le Québec pouvait devenir un pays pénétrait mon cerveau. Pour y rester.

Je n'étais pas prêt à débarquer sur cette terre-là. J'avais flotté sur des nuages d'idées en toute sécurité à l'abri des soucis matériels, motivé par une cause à déplacer des montagnes et soutenu par un groupe chaleureux à l'épreuve des courants d'air. Or, on ne passe pas tant d'années en prison sans grandir et devenir un peu plus un homme. Dans mon cas, un homme avec Dieu dans les pattes.

Avant de quitter le scolasticat, je suis tombé sur un livre écrit pour les grands adolescents, une lecture qui tombait à point. J'en étais encore un, malgré mes vingt-deux ans. *Réussir*, de Michel Quoist. Cet auteur me semblait présenter l'Évangile en mots clairs et concrets comme un idéal accessible, simple et beau à la fois. J'ai surtout découvert en lisant et relisant ce texte que l'exigence de la foi en Dieu ne consistait pas dans des prières et des liturgies, mais dans l'agir. Par mes actions, j'entretenais ma relation avec Lui. Je le laissais me pénétrer et, ainsi, je le glorifiais. C'était une autre façon d'exprimer la parole de l'Évangile : aime et fais tout ce que tu veux. Ce message m'est entré dans la peau, pour toujours.

L'Ordonné

Les Beatles venaient de sortir *Ask Me Why* : « *Now you're mine, my happiness, still makes me cry* », chantaient-ils. Le premier samedi de juin 1963, j'empruntais majestueusement la grande allée de l'église de ma paroisse natale pour être ordonné prêtre. Dans la nef pleine de monde, les gens se retournaient pour me voir entrer en compagnie de l'évêque. La première personne que j'ai remarquée dans cette foule fut ma première flamme, la fille à Paulo, accompagnée d'un jeune enfant. Cette vision, qu'à ce moment-là je trouvai providentielle — quel beau sacrifice je faisais ! —, m'a tout de même un brin chagriné le cœur. Je me suis vite repris, et je me suis adressé à Dieu : « *Now you're mine, my happiness still makes me cry.* »

J'avais franchi toutes les étapes de ma formation. J'étais mûr pour le don, l'amour de tous, solidaire du bonheur de ma mère et de mon père, qui attendaient le cortège dans le premier banc d'en avant. Sûrement le plus beau jour de leur vie. Ils ne se sont pas détournés lorsque je suis arrivé à leur niveau : l'instant était trop solennel, trop sacré. C'était aussi une récompense pour ma mère, qui avait dû sacrifier sa belle jeune voix de soprano pour élever des enfants, parce sa mère n'avait pas permis qu'elle quitte son village pour perfectionner son art dans la menaçante grande ville. Et voilà qu'un de ses garçons, devenu grand, accédait au suprême honneur de représenter Dieu sur la terre... J'ai souvent vu pleurer ma mère les jours de lavage, lorsque tout allait mal : « J'aurais donc dû faire une sœur ! » qu'elle disait. Pour la première fois, je la voyais pleurer de bonheur.

Une fois rendu dans le chœur en avant de l'église, je me suis retourné, et mon regard s'est porté vers mes parents. Ma mère remettait son mouchoir dans sa bourse.

La cérémonie n'était pas aussitôt terminée que je dus poser mon premier geste officiel. Frais oint des saintes huiles et couvert des ornements sacerdotaux, je suis descendu de l'autel d'où me zieutaient l'évêque, les curés invités, les enfants de chœur et toute la foule assemblée dans la nef, pour me diriger vers mes parents agenouillés à la balustrade. Je devais avoir un look superbe! De la main, je fis le signe de croix sur ma mère et mon père : « Je vous bénis au nom du Père et du Fils et du Saint-Esprit. » Sentiment étrange, impression de poser un geste futile : mes parents n'étaient-ils pas déjà bénis de Dieu? Par la suite, j'ai toujours été mal à l'aise de prononcer cette formule même si, à l'époque, c'était la coutume de demander au prêtre de bénir un enfant, un repas, un chapelet, un crucifix, ou même les récoltes ou une maison. Je n'arrivais pas à me considérer comme un homme ayant le pouvoir de rendre les personnes et les choses plus sacrées qu'elles ne le sont...

Toute la paroisse avait été conviée à la messe d'ordination. Cependant, les invités au banquet et le menu avaient été soigneusement choisis par ma mère, qui avait pris la direction des opérations. Les membres de son groupe d'Action catholique — des femmes aisées et bien établies dans le village, baptisées par mon frère les Grosses Madames Catholiques, ou GMC pour les intimes — avaient préparé les différents services du repas. Aucun traiteur du coin n'aurait pu rivaliser avec la table dressée pour la fête. Ma mère était fière de son coup, fière de ses copines et fière de *son fils*. C'est qu'elle ne me désignait pas par mon prénom lorsqu'elle me présentait à ses amies : « Voici mon fils », disait-elle dignement pour souligner qu'elle était la mère du jubilaire. Avoir été imbu d'humilité, je ne me serais pas formalisé de la chose. Il était compréhensible qu'un bonheur pareil lui monte un brin à la tête; j'étais son prêtre après tout, celui qu'elle avait mis au monde, quémandé à Dieu et obtenu. Néanmoins, je ne lui laissais rien passer. Elle n'avait pas le droit d'être plus heureuse que moi. Le roi de la fête, c'était moi, non?

Je la soupçonnais d'avoir été contaminée par ses grosses madames cathos et d'avoir rayé de la liste des invités trois de mes anciens camarades de classe du primaire, l'un travailleur d'usine, l'autre vendeur d'assurances et le dernier chômeur. J'en ai mis du temps à me pardonner de ne pas avoir insisté pour inviter mes amis jugés indignes de s'asseoir à ma table.

Quel bonheur de me retrouver dans une demeure à hauteur d'hommes, de femmes et d'enfants après cinq années de réclusion ! J'étais enfin en congé, dans ma famille, pour quinze jours. Mais de quoi prenais-je congé ? De qui ? Je devais être en représentation tout le temps. Allais-je porter ma soutane ? Mes parents, mes frères et sœurs avaient-ils besoin que je leur rappelle qui j'étais devenu ? Le premier jour, j'ai boutonné mes nombreux boutons devant ma petite sœur de cinq ans, plantée devant la porte de ma chambre, intriguée d'en voir autant sur un vêtement. Mais je n'ai pas attendu le soir pour l'enlever. Ma parenté avec ma famille l'a emporté sur ma parenté avec l'Église.

J'ai dû me rhabiller pour me rendre sur les lieux de ma première mission, dans une paroisse de Montréal, pour dire des messes, entendre des confessions, prêcher en chaire, faire des baptêmes et visiter les malades. Comme j'avais joint les rangs d'une communauté d'enseignants, les curés de paroisse nous sollicitaient pour remplacer les vicaires en vacances pendant l'été. Un jeune prêtre inexpérimenté, frais émoulu et à l'onction sainte à peine séchée ferait quand même l'affaire. C'est ainsi que, fébrilement, j'ai frappé à la porte d'un impressionnant presbytère de la grande ville la veille de mon entrée en fonction. La cuisinière vint m'ouvrir et m'indiqua ma chambre. Personne d'autre ne se pointa. Quel accueil ! Je n'en revenais pas. Au déjeuner, le lendemain matin, au centre d'une longue table trônait un homme dans la cinquantaine, chauve et rondelet. Le curé, assurément. Il ne se leva pas pour m'accueillir, mais me salua, de la main seulement, car il avait quelque chose en bouche. À deux places de lui, un vieux monsieur bourru se contenta de me jeter un regard froid. Je cherchais où m'asseoir quand un jeune prêtre, à peine plus âgé que moi, entra et me sourit. Enfin ! Il me fit prendre place et m'offrit un café. Sur le meuble où se trouvait la cafetière, le grille-pain et les pains blancs, bruns et de ménage, s'alignaient sept à huit boîtes de céréales, sans compter, sur la grande table familiale, les croissants, les confitures, les pâtés et un immense plateau de fruits. J'étais ébahi... La cuisinière se pointa pour en rajouter, m'offrant le choix entre des œufs pochés, brouillés, à la coque ou au miroir, du pain doré ou des crêpes. « Ah, j'oubliais, ajouta-t-elle. Avec vos œufs, je peux faire rôtir des tranches de filet mignon, du bacon ou du jambon. » J'appris ce matin-là qu'on pouvait être bon prêtre et prospère... Moi qui m'étais logé du bord du pauvre Farley, comment pourrais-je crécher dans le même lit que les riches curés ? Je touchais du doigt, de la semelle et de l'œil une des contradictions du monde clérical que je ne suis jamais parvenues à résoudre.

Le lendemain, c'était le jour de la visite des malades à domicile, à qui il fallait donner la communion. Bien entendu, on ne pouvait offrir le pain consacré sans s'assurer que celui ou celle qui le recevait ait l'âme exempte de péchés. En se confessant au prêtre, la personne était pardonnée au nom de Dieu et pouvait communier en paix. C'était un processus bien rodé.

Suivant la liste qu'on m'avait remise, je me suis pointé, le cœur battant, chez deux vieilles dames, deux jumelles qui avaient habité ensemble toute leur vie, gentilles, accueillantes et drôles. Après m'être informé de leur santé et de leurs passe-temps, je leur proposai de les confesser avant la communion. L'une me répondit sur-le-champ : « Monsieur le curé ! Comment voulez-vous qu'on fasse des péchés ? On ne sort pas de la maison... » Je ne l'attendais pas, celle-là. Elle reprit : « Bon, bon ! Si vous y tenez... » Elle s'agenouilla devant moi : « Bénissez-moi, mon père, parce que j'ai péché. » Je demandai alors à l'autre de nous laisser seuls. Elle sortit après avoir lancé sèchement un *si vous y tenez...* Après les formules d'usage, la pénitente à genoux garda le silence un moment, leva la tête et, les yeux au plafond, fouilla en sa mémoire, avoua une étourderie pas bien grave et termina par : « C'est tout ! » Elle semblait quand même contente de se faire pardonner. L'autre prit sa place, récita les prières d'introduction puis, au moment d'énumérer ses fautes, dit : « Moi, ce sont les mêmes péchés que ma sœur… » J'étais apprenti dans le métier. Je voulais accomplir ce geste de curé dans les règles de l'art, avec le plus grand respect des sacrements, et voilà que mes deux bonnes vieilles catholiques venaient bousiller mon acte avec une légèreté désarmante. On m'a ramené sur le plancher des vaches sourire aux lèvres. La leçon était belle et, pour moi, apaisante.

En septembre débutait l'année consacrée à des stages en paroisse et à des formations portant sur le travail concret d'un curé. Certains cours se donnaient à l'université, d'autres dans un institut catholique indépendant. Je ne portais plus la soutane pour sortir en ville — ni le chapeau ! — mais l'habit noir avec le col romain. On nous apprit qu'il fallait pratiquement oublier tout ce que nous avions assimilé avant. L'Évangile n'est pas un livre de grammaire à se fourrer dans la tête et à observer pour réussir l'examen final ni une histoire à mystères, mais un message qui parle au cœur et invite à aimer en vérité. Et Jésus est plus un éclaireur qu'un sauveur, celui qui dévoile toute la grâce déjà vécue au cœur des humains. Du moins, c'est ce que j'ai retenu.

Cette vision épurée de la mission s'accordait bien avec ma conception du prêtre dans la cité, détaché des institutions encadrantes. En plus, ce Jésus nous dispensait de toutes ces prières apprises par cœur et récitées sans attention. J'ai pris alors la résolution ferme de consacrer du temps tous les matins à une conversation sérieuse avec Dieu, avec les mots de Jésus et ceux des psaumes éprouvés par des générations de croyants. Il fallait jour après jour entretenir le lien, tel un fils qui tient à garder contact avec son père au loin.

Après dix mois de préparation immédiate au travail de prêtre, gonflé à bloc, j'ai enfin mis le pied par terre. J'atterrissais cependant sur un terrain mouvant. La révolution des mentalités au Québec avait brouillé les ondes qui reliaient les croyants au surnaturel. On ne gobait plus rien si docilement. La croyance aux mystères pâlissait, la crainte de Dieu et de l'enfer aussi. Mais on n'avait pas encore déserté les temples. En lançant sa grande mission « Dieu est notre Père », le cardinal Léger souhaitait donner un autre souffle à l'Église de Montréal, car elle manquait d'air. Beaucoup de gens étaient mêlés, il fallait les rassurer et, en tant que jeune prêtre moderne, être de leur bord plutôt que de celui des autorités menacées. J'étais prêt à relever le défi. Au beau milieu de ma vingtaine, je me croyais mûr pour évangéliser la terre entière.

Paradoxalement, j'ai abouti dans un collège classique et, sans être préparé, fus assigné tout de go à l'enseignement du latin, du français et de la catéchèse à des petits bolés qui avaient sauté leur dernière année du primaire, comme si l'ordination sacerdotale m'avait conféré la grâce du bon enseignant. En français, les premiers de classe étaient aussi bons que moi. En latin, j'étais un maître. En catéchèse, je m'empêtrais dans ma révolution du message de Jésus. Je débitais sans conviction pour ces jeunes cerveaux fragiles le contenu de leur manuel que je trouvais désuet. Tous ces ingrédients donnèrent un piètre professeur. Malgré tout, j'étais bien aimé de mes élèves et de leurs mères. Les réunions de parents m'ont confirmé que si l'habit ne fait pas le moine, il fait tourner les têtes des jeunes mamans.

Étant donné que j'arrivais en classe souvent mal préparé, je tâchais de rendre mes cours intéressants en détendant l'atmosphère. Ce n'était pas une bonne méthode, j'avais du mal à rétablir l'ordre par la suite. Une bonne formation en pédagogie ne m'aurait pas fait de tort. Ce n'est pas compliqué : je n'aimais pas enseigner. Je compensais cette faille par des activités parascolaires. J'animais par exemple des camps de liturgie la fin de semaine, où je me dépensais à jouer au football avec mes élèves lors des pauses. J'allongeais ainsi ma tâche de professeur pour donner du luisant à mon devoir de bon éducateur.

Je me demande bien quel vent me poussait à partir en camp de fin de semaine le vendredi soir avec eux, après cinq jours de travail. Sans doute le même que soufflait le fameux concile Vatican II sur toutes les terres catholiques du monde, suscitant de grands espoirs de renouveau. Un jeune prêtre sérieux comme moi se devait de ne pas laisser se scléroser l'acte rassembleur central de sa religion : la messe. Si elle disparaissait, l'Église tomberait.

J'étais bien conscient que les enfants de douze ou treize ans de cette génération ne s'intéresseraient pas à une cérémonie religieuse au mystère et au sublime blêmissant. Même leurs parents y attachaient beaucoup moins d'importance. Or j'avais espoir de les raccrocher à l'histoire de la fondation de la religion de leurs père et mère en reproduisant avec eux le dernier repas de Jésus entouré de ses disciples. Surtout que le Concile, trouvant que la messe prenait un coup de vieux, avait décidé d'en chambarder la liturgie. Depuis des siècles, le prêtre la célébrait en latin, dos au peuple, sur un autel accroché au mur du fond de l'église, loin des fidèles. Ça tenait du gros bon sens que le concile révolutionne tout cela. En rapprochant l'autel des gens, en faisant virer de bord le curé, désormais face au peuple, et en lui demandant de s'exprimer avec des mots que les gens comprennent, les évêques du monde entier rassemblés, malgré leur costume de clown d'une autre époque, ont sauté dans la modernité en affirmant haut et fort que l'Esprit de Jésus fait corps avec le peuple de Dieu et infiltre l'esprit de tous les croyants. Cet *aggiornamento* de l'Église m'encourageait à m'attabler avec les enfants durant les fins de semaine et célébrer une messe-repas pour au moins sauver la dernière Cène de l'oubli. Je retournais en classe le lundi matin fatigué, mais dynamisé par mes deux jours passés avec des jeunes pétants de vie.

En réalité, une fois les cours repris, les déclinaisons latines et les corrections des devoirs me dégonflaient littéralement. Rendu au mercredi, je ne pensais qu'à la fin de semaine suivante. C'était clair : je m'emmerdais dans ce métier. Vite, rêvons d'autre chose! *Je m'évertue à bourrer, sans convictions ni compétences, les cerveaux de ces petits, alors que je pourrais être plus utile à aider et à guider des cerveaux en panne.* Je ne rendais service ni à eux ni à moi. Il faut du temps pour trouver sa voie. J'ouvrais les yeux.

L'Exilé

En ces années bienheureuses, les communautés religieuses possédaient des actifs enviables et de grosses petites caisses. Voilà qu'après seulement mes deux premières années d'enseignement, mes supérieurs m'offrirent de pousser plus avant ma formation. Quelle bonne idée ils ont eue ! Le succès des camps que j'organisais les fins de semaine les avait mal aiguillés : ils ne voyaient en moi rien de moins qu'un futur spécialiste de la liturgie nouvelle pour célébrer bellement avec les jeunes le culte du divin ! Mon premier choix aurait été d'étudier la psychologie dans une université américaine, mais je ne pouvais tout de même pas refuser trois ans d'études en Europe...

Dans les universités françaises et allemandes, des penseurs avaient mijoté une théologie plus adaptée aux chrétiens du jour, particulièrement à la Faculté catholique de Lyon où je m'étais inscrit. Et puis, hop, je me suis retrouvé dans l'avion avec un confrère plutôt débrouillard qui s'était occupé de tout. Au lieu d'acheter des billets en direction de Paris, il nous fit passer par Copenhague, une ville qu'on visitait alors peu.

Durant notre court séjour au Danemark, je me suis tanné de voir le monde se détourner sur notre passage : manifestement, le col romain n'était plus porté dans ce pays. Je suis entré dans une ruelle pour l'arracher et le foutre dans une poubelle pour ne jamais plus avoir l'air d'un curé. Il en restait malgré tout des traces dans ma face d'enfant de chœur, et dans ma manière hypocrite et vieuxgarçonne de zieuter les diapositives pornos exposées sur les présentoirs des tabagies. Alors qu'au Québec, les photos érotiques ne circulaient qu'en dessous de la table, à Copenhague on les étalait au grand jour. Je n'en étais pas là. Enfin... je croyais que mon sexe dormait bien tranquille, à l'abri de toute tentation, sauf que je ne pouvais m'empêcher de profiter béatement de cette manne fortuite d'images on ne peut plus explicites. Heureusement pour la salubrité de mon âme, nous devions bientôt partir pour la France.

Lyon charmerait n'importe quel étranger qui aime bien manger, bien boire, visiter les vieux quartiers, profiter du théâtre expérimental et flâner le long du Rhône ou la Saône. Tout pour me faire oublier la raison première de ma présence là-bas. Je me suis installé dans une maison de pension réservée aux jeunes curés francophones aux études. Je suis devenu ami avec les Ardéchois, les Savoyards et les Provençaux. Plus décontractés que les autres Français, ils ne s'étonnaient pas de mon accent et ne me jugeaient pas de haut. J'ai vite constaté cependant que tous prenaient leurs études à cœur, beaucoup plus que moi.

Lorsque le doyen de la faculté de théologie s'est informé de mon projet de recherche au moment de notre première rencontre, il a dû se rendre compte assez rapidement que je n'étais pas bien avancé dans ma réflexion. J'en ai patiné un coup.

En fait, des idées, j'en avais bien une ou deux.

J'avais constaté que le sens sacré du mot *culte* avait disparu du vocabulaire de mes jeunes élèves. Ils ne désignaient plus ainsi une cérémonie pour rendre hommage à Dieu, mais l'accolaient à un film, une œuvre littéraire ou une vedette rock. Est-ce que le *fascinendum* et le *tremendum* qui caractérisent le sacré avaient migré, dans leur tête, du monde religieux à celui des arts et des stars ?

La question était posée, mais je ne savais pas comment l'aborder. Le doyen non plus, d'autant plus qu'il n'y voyait aucun rapport avec la théologie. Il m'a donné le nom d'un conseiller de projet et m'a souhaité bonne année.

En attendant ma réorientation de projet, j'allais au cours comme j'allais au musée ou au théâtre, pour me distraire et meubler mon esprit, me dépayser en me libérant de ce que j'avais mal appris. C'était fabuleux d'entendre les profs réinterpréter la morale et les mystères chrétiens de façon personnelle et originale, mais aussi un peu trop abstraite et compliquée pour mon esprit pratique. Je me laissais envahir par la matière à apprendre, qui s'accumulait jour après jour.

Les journées bourrées de cours, je sortais me promener seul après le souper. J'habitais rue Sainte-Hélène, entre la célèbre Place Bellecour et la gare Perrache. Mes marches du soir le long de l'allée de platanes menant à la gare étaient salvatrices. En exil, quand la solitude nous pèse, une bonne façon de faire dégonfler son cœur gros qui se plaint, c'est de s'asseoir sur un banc, d'observer les visages de ceux qui passent et de jouer à découvrir ce qu'ils cachent ou ce qu'ils dévoilent. Qui se compare se console, dit-on. Mais ça ne fonctionne pas à tout coup. Un soir de juin, en rentrant de ma promenade, je me suis dirigé vers la rue de la Charité plutôt que l'avenue Victor Hugo, qui menait chez moi. Une prostituée y faisait le trottoir en face de son hôtel. Elle n'accostait pas les hommes, ne portait pas de jupe courte ni n'abusait de maquillage accrocheur. Elle posait, debout sur une jambe, l'autre pliée, le pied au mur. Elle s'offrait, sans plus. Germine était connue dans le quartier. Elle portait, en hiver autant qu'en été, le même béret-casquette, avec la palette légèrement sur le côté. La lumière du lampadaire reflétait dans ses yeux et les rendait brillants dans le noir. Elle suivait les passants du regard aussi longtemps qu'ils ne l'avaient pas dépassée. J'avais vingt-huit ans, et j'étais encore vierge.

Ma saison d'innocence s'arrêtait-elle là ? Je m'étais serré le grain pendant toutes ces années, autant à cause du contrat passé avec Dieu que de mon image que je ne voulais pas défigurer ; il fallait plus qu'un regard persistant de femme pour me faire flancher. Je ne me voyais pas nu devant elle, ni la toucher, ni la pénétrer. Ç'aurait été me violer moi-même, me dénaturer. Je ne pouvais m'entrer cela dans la tête. J'avais le cerveau trop bien lavé pour qu'il soit souillé. Mais il y a toujours un bout à tout. Mon cerveau avait beau crier, mon sexe avait son mot à dire aussi. Dieu s'était-il caché à l'ombre ? Le bas du corps livrait un solide combat au haut du corps. Je me suis tout à coup décidé à demander à Germine son prix. Tout mon corps aspirait au relâchement et à la jouissance. Je ne me faisais pas d'illusion : m'enquérir de son prix, c'était déjà vouloir monter dans la chambre. *Vas-y donc, ça va te libérer une fois pour toutes...* C'était déchirant. Un ange ne baisse pas les ailes si facilement.

Même si je savais que je n'allais pas poser ce geste en paix, j'étais trop avancé pour reculer. J'ai pressé le pas au détour de la rue de la Charité. Un homme venait en sens inverse sur le trottoir. Il échangea quelques mots avec elle et la suivit dans l'hôtel. La colère m'envahit. Pour une fois où je voulais en finir, voilà qu'un mec de la pire espèce venait me voler ma place! Dieu veillait encore et toujours à sa graine... Et la mienne s'est remise de ses excitations et a repris sa place dans le merveilleux monde des vierges de Dieu. Alleluia!

J'étais passé proche... J'y étais, même. La force du bas avait gagné. Je n'étais pas un ange rassasié par la prière.

C'était la veille des examens de fin d'année, les cours de la session suivante ne reprenaient qu'au début du mois d'octobre. Je ne pouvais absolument pas me retrouver seul à Lyon pendant les vacances. Germine travaillait à l'année.

J'avais projeté de partir seul sur le pouce visiter les régions de France de nos ancêtres — la Normandie, la Bretagne — et terminer par la Haute-Savoie, l'Ardèche et la Provence. Le hasard fit que je prenne un pot le soir de la Saint-Jean avec un curé québécois fort sympathique que je ne connaissais pas. Entre deux gorgées, il me dit qu'il cherchait un compagnon intéressant — c'est le mot qu'il employa — pour visiter l'Italie en camping pendant août et septembre. Il venait de s'acheter une auto d'occasion et possédait tout le matériel nécessaire. Le film de toute mon année d'étude défila instantanément devant moi : je méritais des vacances, un dépaysement. Vivement l'Italie.

Le bonhomme m'inspirait confiance. Petit père capucin bedonnant, digne fils de François d'Assise, curé d'une paroisse de ville où la majorité des gens travaillaient en usines qui se mirent à fermer et à déménager les unes après les autres, Gérald voulut voir clair dans tout ce brassage de société et avait décidé, à trente-cinq ans, de retourner aux études, à l'Institut Social de Lyon.

Un bien drôle de zig, ce Gérald. On n'aurait pas pensé que ce curé à la mode, animé d'un réel désir de changement et équipé d'un ton revendicateur, aurait été fasciné par les miracles, les reliques et les phénomènes parareligieux. Dans la tente, le premier soir, il m'a raconté, une fois la lampe éteinte, qu'il avait une phobie de la noirceur : il avait peur qu'un esprit lui apparaisse. J'aurais bien voulu voir ça!

J'avais dû insister pour visiter Venise d'abord. Gérald avait d'autres types de joyaux sur sa liste de choses à ne pas rater dans le nord de l'Italie et il y tenait : le saint suaire dans lequel Jésus a été enseveli, à Turin; *La Cène* de Léonard de Vinci, à Milan; le tombeau de saint Antoine, à Padoue. Moi, j'avais hâte d'arriver à Venise. Se promener le soir sur la Place Saint-Marc à travers les pigeons, les gondoles qui glissent, les palais gothiques reflétés dans les eaux du Grand Canal : que c'était beau à voir!

Nous étions mieux alignés à Florence, Rome et les environs, même dans nos choix les plus surprenants. Par exemple, chacun de notre côté nous avions décidé de ne pas assister à la bénédiction du pape le dimanche midi sur la place Saint-Pierre, sensiblement pour les mêmes raisons : l'homme en blanc perché à la fenêtre représentait trop cette Église formelle, figée et éloignée du message de Jésus. Je n'avais rien en commun avec ce monde-là, mis à part la foi en Dieu. Notre absence à l'heure de l'Angélus se voulait ni plus ni moins un geste contestataire.

Nous devions ensuite nous rendre en Sicile, or Gérald le sorcier tenait absolument à traverser le pays d'ouest en est pour se recueillir sur la tombe du capucin Padre Pio, ce saint homme qui a vécu cinquante ans avec les plaies de Jésus crucifié dans les mains, les pieds et le côté. Et en Sicile, rien d'autre ne l'intéressait que les catacombes du cimetière des capucins à Palerme, où quelques milliers de squelettes revêtus de leurs habits sont réunis en attendant le jugement dernier. Là, je ne marchais plus. On était déjà en septembre, pas question que je parcoure toute cette route pour une virée dans le monde du paranormal ! Je ne croyais plus à la résurrection des corps ni aux miracles. D'ailleurs, le consciencieux universitaire que j'étais évalua qu'une semaine de voyage touristique supplémentaire le fatiguerait et qu'il devait se reposer avant de reprendre ses études... J'ai donc laissé mon ami prolonger sa série capucine seul pour m'installer à Capri, dans une petite auberge tenue par des religieuses ayant consacré leur vie au service des bons prêtres en manque de repos...

De retour à Lyon tout ragaillardi, j'entamai ma seconde année scolaire avec l'intention de me consacrer plus sérieusement à mes études et de mettre du temps à mon projet de recherche. Comme on m'avait fortement suggéré d'oublier la question du mot *culte*, je me suis rabattu sur l'interprétation d'un verset de la Bible, un sujet plus approprié pour un mémoire de Licence en théologie. Dans sa première lettre aux Corinthiens, Paul de Tarse blâme les fidèles de ne pas partager leur lunch avec les plus pauvres lorsqu'ils se réunissent pour l'eucharistie. Et il termine en leur disant : « celui qui mange et boit, mange et boit sa propre condamnation s'il ne distingue pas le *corps.* » Jusqu'alors, on avait toujours pensé que l'auteur de la lettre faisait allusion au Corps du Christ dans l'hostie. Concentrant ma recherche sur le mot *corps* dans le texte grec et le comparant à d'autres utilisations du terme par l'auteur, j'ai compris que le corps eucharistique et le corps de l'Assemblée réunie sont indissociables. Ainsi, celui qui mange le pain en méprisant les pauvres de la communauté brise la communion du groupe qui doit faire *corps.*

J'en étais à la rédaction de mon mémoire lorsque le climat s'est gâté en France. L'ambiance n'était plus au travail intellectuel. Le 22 mars, les étudiants de la faculté de Nanterre, avec à leur tête Daniel Cohn-Bendit, occupèrent leur université, réclamant plus de liberté et de démocratie. C'était le point de départ de la révolution de mai 68. Les étudiants de la Sorbonne suivirent le mouvement, les lycéens et, finalement, les syndicats. Au début de mai, toute la France était paralysée, réclamant le départ du général de Gaule. La vague était immense, tellement forte qu'elle emporta tout. Je n'étais pas imperméable aux discussions qui animaient tout le monde à l'université, dans les rues, les cafés, les chaumières, les téléviseurs. J'ai suivi le courant. J'ai même participé à des manifestations, mais toujours derrière la foule, en spectateur. Je n'arrivais pas à me sentir entièrement concerné par cette contestation pourtant vitale pour mes consœurs et confrères français. Vu mon peu d'engagement, et comme j'en avais marre de ne rien faire et d'attendre que quelque chose débloque, je suis parti deux semaines en Ardèche, dans la famille d'un ami pensionnaire, pour cueillir les cerises.

Au retour, j'ai terminé ma rédaction avant même la reprise des cours. Lorsque je remis finalement mon mémoire, le prof m'a félicité pour mon travail, ajoutant ensuite qu'un exégète était arrivé aux mêmes conclusions quelques années avant moi... « Dommage que vous ne l'ayez pas consulté ! » Je croyais pourtant avoir dépouillé toute la bibliographie sur le sujet. Mon manque de rigueur et ma paresse m'avaient-ils rattrapé ?

On ne se concentre pas sur un sujet pareil pendant des mois sans qu'il ne laisse des traces en soi. La pensée percutante de Paul m'avait bousculé et encouragé à tenir à mon idéal de jeunesse. Je l'entendais me dire : « Que ce soit à table ou ailleurs, préoccupe-toi des Farley qui t'entourent. » C'est également à ce moment que le doute s'est immiscé dans mon esprit : Jésus logeait-il réellement dans le pain de l'eucharistie ? N'était-ce qu'une métaphore ?

Lorsque la France s'est remise en branle fin mai, les cours, qui avaient été interrompus par la révolte, ont repris. Toutefois le trouble et l'inquiétude persistaient dans les têtes. Les acquis n'étaient pas perceptibles. Les contestataires et les partisans du pouvoir établi, à coup de centaines de milliers de personnes, étaient de part et d'autre descendues dans les rues de Paris et des autres grandes villes de France. L'heure était toujours à la confrontation. Malgré cela, le peuple français en sortait gagnant : il entrait dans une ère nouvelle. Une génération de jeunes, pour qui tout était possible, avait crié fort et devenait un acteur politique incontournable.

Les accords de Grenelle, négociés sur place, avaient redonné confiance en l'action collective et solidaire du mouvement ouvrier. Les institutions, l'autorité, la sexualité, le rapport au corps, la religion s'annonçaient pour être redéfinis. Et moi, assis sur les bancs d'une faculté de théologie, petit étranger épinglé sur le grand tableau d'une révolution, qu'est-ce que je foutais là, la tête dans les nuages ? Mes pieds ne touchaient pas le sol. Y avait-il encore une place pour un envoyé de Dieu sur cette terre ? Mai 68 venait de m'atteindre. Je me suis levé, j'ai quitté la classe, et je suis sorti sous la pluie chaude marcher pendant des heures le long de la Saône. Je n'ai remis les pieds à la fac que pour les examens. Et je suis allé m'inscrire à l'Institut social de Lyon pour la session d'automne. J'avais grand besoin de comprendre ce qui se passait en bas, sous mes pieds. Des cours en science politique, sociologie, économie et psychologie sociale me donneraient des outils pour me guider.

Le vide créé par ce changement d'orientation m'a donné le mal du pays. L'été s'en venait. Je fus tenté de rentrer au Québec pour les vacances. J'hésitais encore quand je vis, dans le journal étudiant, qu'on offrait aux jeunes universitaires catholiques des camps d'immersion dans les campagnes reculées de France. Ces échanges entre jeunes de la ville et vieux fermiers avaient été initiés par un curé qui avait cru bon d'affecter un de ses semblables à chacune des équipes. J'ai sauté dans l'aventure.

Mon équipe, composée de huit étudiantes, et moi campions en Haute-Garonne. Nous occupions une maison de ferme abandonnée et passions nos journées à visiter les gens, à les aider au jardinage et aux foins, à écouter les histoires des vieilles personnes, à flâner sur la place du village, à participer aux fêtes. Puis nous rentrions le soir pour partager le repas et nos impressions sur ce que nous avions vécu. Nous avions beaucoup de plaisir ensemble. Sauf que je me tenais constamment sur mes gardes : j'étais jeune mais prêtre, les filles étaient belles... Ça sentait fort le fruit défendu.

J'étais le garant de la bonne entente. Malgré mes efforts, il se tramait quelque chose, c'était sûr. Parfois les filles arrêtaient de jaser quand j'arrivais dans une pièce, ou bien elles me jetaient un coup d'œil en continuant tout bas. Un bon soir, l'une prit la parole au nom du groupe.

— On voudrait te parler.

— Eh bien, parlez, mes chères, répondis-je.

— On trouve que tu n'aides pas à l'harmonie du groupe. Tu as une préférée, et on n'aime pas ça. Il y a juste avec elle que tu as les yeux doux.

Ah, les vlimeuses, elles m'avaient démasqué!

— N'est-ce pas, Carole? ajouta la porte-parole.

Ce n'était pas la bonne! Oui, Carole était la plus jolie du groupe, mais elle ne m'attirait pas. C'est Maryse, la plus mûre et la plus intelligente, qui faisait battre mon cœur. Par chance, ça ne semblait pas réciproque, j'étais sauf. J'ai rassuré mes filles, et jusqu'à la fin du mois j'ai fermé la porte à tout penchant pour préserver l'unité du groupe.

À la fin du camp, toutes les filles prenaient le train pour Lyon, sauf Maryse, qui prenait la direction de Paris, puis de Lille. Je partais seul, en bagnole, visiter la Bretagne et la Normandie. Puisque j'avais tout mon temps, j'offris à ma préférée de l'amener à Paris. Elle accepta. Dieu, le ratoureux, devait froncer les sourcils. Moi, j'étais aux anges!

Le voyage se passa bien, trop bien. Je me suis vite aperçu que mes sentiments étaient partagés. En si peu de temps, je devins prisonnier de notre lien. Je la désirais. Nous étions tous les deux enfants de bonne famille. Qu'allions-nous faire?

Arrivé à Paris, il était tard, ne restait plus qu'un train pour Lille. Dans l'euphorie, elle décida de ne rentrer chez elle que le lendemain et de louer une chambre près de la gare. Homme galant, j'ai porté ses bagages à la chambre. Je nous vois encore, elle à côté du lit, moi au pied.

J'étais déchiré. J'haïssais Dieu, ma famille, mes maîtres, ma conscience, qui avaient dressé une fortification autour de mon cœur et y avaient fourré une maudite interdiction catholique du plaisir du sexe!

Mon bonheur d'aimer m'invitait à tout partager. La table était mise... Mais je fus incapable de me décider à festoyer. Maryse prit les devants, elle me lança : « Ne traîne pas comme ça, c'est agaçant. Tu as décidé de partir. Va-t'en. » Je connaissais ces mots adressés par la rose au Petit Prince; nous avions mis en scène et interprété le texte de Saint-Exupéry un soir pour distraire les gens du village. Cette citation tombait à point. Je me suis enfui, car je connaissais trop bien la ligne suivante : « Car elle ne voulait pas qu'il la vît pleurer. »

Il était maintenant évident que Maryse tenait beaucoup à moi, que son cœur était engagé, jusqu'aux larmes. Je n'ai pas pu, je n'ai pas voulu assurer. Je n'avais que la moitié de mon cœur à lui offrir. L'autre ne m'appartenait pas.

Je m'étais construit des balises à ne pas franchir, mais je m'attardais à cheval sur la clôture, préférant le vertige constant à l'aventure vécue. Je m'étais investi du rôle de représentant de Dieu qui aime tout le monde, et certaines personnes... un peu plus. Ce n'était pas une bonne idée. À partir de ce moment, mes yeux doux, je les réservais pour moi.

Au mois d'octobre suivant, je recommençais à neuf dans un tout nouveau milieu. Que des nouveaux visages, si ce n'est celui de mon ami Gérald le Capucin, qui suivait à peu près les mêmes cours que moi en économie, psychologie sociale et sociologie. Le cours sur le marxisme me vira complètement à l'envers. Dans mon monde religieux, Marx n'était rien de moins que le diable en personne allumant des feux de haine et de violence. Notre professeur le présentait plutôt comme un cerveau puissant qui avait tenté de comprendre le fonctionnement de la société industrielle et proposait une forme de lutte pour que ça change. Moi qui croyais que la pratique du message d'amour de Jésus était la seule et principale porteuse d'espoir pour sauver l'humanité, je trouvais que la praxis de Marx avait pas mal de bon sens aussi.

J'ai entendu là pour la première fois les mots *société de consommation*. Lorsque j'étais jeune à la maison et qu'il manquait quelque chose à mon bonheur de petit garçon, je disais : « On va l'acheter ! » Cela mettait mon père en beau joual vert. Il répondait : « Ça parle rien que d'acheter pis d'acheter ! » Eh bien, voilà, vingt ans plus tard, on y était. Il fallait acheter et acheter, sinon la terre cesserait de tourner. Tout le reste de ma vie, j'ai été hanté par cette réponse de mon père et j'y donnais suite : je me suis installé en rupture avec la société de consommation, trop axée sur le matériel au détriment de toutes les valeurs que je privilégiais. Je venais de trouver un cheval de bataille qui me convenait, et une nourriture qui me donnerait la force et le courage de défendre davantage mes convictions.

J'ai rejoint, poing levé, la masse de monde qui ne pouvait plus supporter d'être exploitée et dominée par quelque autorité que ce soit. Moi qui étais déjà anti-soutane, je suis devenu antitout. La révolte s'est installée dans mon cœur tendre. J'ouvrais les yeux toujours plus grands en voyant pisser de partout le bain de culture dans lequel j'étais plongé.

Au cours sur Marx, la classe était pleine, surtout des gars. Parmi les femmes, il y avait Gisèle, une Lyonnaise de Villeurbanne, qui buvait les paroles du prof. Elle, Gérald et moi formions un trio de mordus de la critique du capitalisme. Puisque la vision matérialiste du marxisme évacuait la présence d'un Dieu paternel qui envoie son Fils sauver l'humanité, je me référais à Lui de moins en moins. La ligne était beaucoup moins bonne. « Parle plus fort », lui répétais-je. J'étais moins croyant. Sur une échelle de zéro à dix, j'en étais à cinq. Même pas la note de passage. Je paniquais un peu.

L'hiver était à bout de souffle et le printemps pointait. Gérald organisa, avec des amis québécois laïcs, un voyage durant le congé de Pâques. Destination : la Grèce, en passant par la Palestine et Israël.

C'était l'occasion rêvée de poser les pieds sur les pierres où Jésus avait marché, de passer par Bethléem et Nazareth, lieux de sa naissance et de son enfance, de contempler à Jérusalem le supposé tombeau d'où il était sorti vivant et le mur des fondations du Temple où il avait prêché. Gérald ne comprit pas que j'hésite à faire ce voyage, et même que j'y renonce. Qui refuserait un beau séjour en Grèce au printemps ? Seul un innocent et déjanté comme moi qui avait développé des allergies à tous les rituels, objets, personnages, vêtements, lieux, qui touchent de près ou de loin la religieuse Église catholique. Pour un curé, c'était incompréhensible. Était-ce d'avoir trempé dans un bain de culture athée en mon nouveau milieu scolaire ? Ou bien une réaction aux privations que je m'imposais pour être fidèle à mon engagement ? Ou tout simplement une baisse de foi ?

Au retour des vacances de Pâques, j'ai dû défendre mon allergie aux pèlerinages. Gérald m'apportait des arguments faciles, Gisèle m'écoutait avec un petit sourire railleur. Des conneries, tout ça, disait-elle. Le Dieu de nos pères n'existe plus. Nous sommes rendus à l'époque post-chrétienne de l'humanité. « Connais-tu les théologiens de la mort de Dieu ? » J'avais entendu parler du best-seller de Harvey Cox, *La cité séculière*, et d'un certain Hamilton, mais pas plus. À partir de ce moment, Gisèle se donna pour mission de me convertir entièrement à son athéisme. Périodiquement elle revenait à la charge, m'attaquant en plein cœur de ma croyance. Certains auteurs, surtout américains et anglais, prétendaient que la transcendance aidait autrefois les chrétiens à vivre l'Évangile, mais plus aujourd'hui, au temps de la sécularisation, de l'urbanisation et des techniques développées. Dieu a disparu, Jésus maintenant en tient lieu. Le Père ne s'est pas incarné dans le Fils pour rien. Le Christ est devenu le maître spirituel par excellence. Pourquoi lever les yeux au ciel ? C'est sur la terre que ça se passe. « Cassons le vieux monde », lisait-on sur les pancartes de mai 68.

Si le Père a disparu, me dis-je, que me reste-t-il ? J'ai peu de contact avec le Fils. C'est avec le Père que je fais affaire, moi.

Mon cœur restait branché sur le mystérieux circuit de Celui qui m'aime par-dessus tout, même si ma tête trouvait que les belles paroles de Gisèle avaient du bon sens. Pour mettre de l'ordre là-dedans, j'ai pris un rendez-vous chez des spécialistes de la foi, au fin fond d'une forêt de la Bourgogne, au monastère de la Pierre-qui-Vire. En ces endroits calmes qui respirent au rythme du cœur de Dieu, le pendule du temps s'immobilise quand on y entre et reprend son mouvement quand on en sort. Si on aboutit en un lieu pareil, c'est qu'on veut quitter le siècle, comme le disent les moines, et entrer en soi. Moi, je voulais voir si Dieu y était encore. En vérité, je n'en étais pas à cinq mais à zéro.

La foi est un phénomène bizarre. On accepte de laisser vivre en nous une présence, voire on la laisse s'imposer à nous comme une certitude et une sécurité. Pareil à une relation d'amour où le cœur se donne et se fait prendre. Notre esprit adhère à quelque chose qui n'a pas de sens, mais qui paradoxalement donne du sens à notre vie, parce que ça fait notre affaire et qu'on en a besoin. Et j'en avais un grand besoin.

J'étais seul dans l'église de l'abbaye. Je me suis agenouillé. Déjà là, en me mettant à genoux, je devais croire un peu. Dieu ne se laisse pas distancer si facilement. Je venais peut-être même d'atteindre la note de passage. Alors que mon corps me manifestait qu'il se sentait en harmonie avec l'environnement religieux ambiant, je grimpais à sept. Et quand mon cœur a entendu sonner le téléphone et que j'ai reconnu la voix de Celui qui m'avait toujours guidé et aimé, j'ai atteint le dix de mon enfance. Dieu s'impose de la façon qu'il veut, à la manière coup de cœur. J'étais joyeux, je pleurais, j'avais trouvé ce que je cherchais.

Il me restait encore tout un semestre à vivre en France, et il n'allait pas être de tout repos. Mon ami Gérald prenait ses études beaucoup plus au sérieux que moi. Débordé d'ouvrage, il n'avait plus le temps d'animer son équipe d'enseignants cathos français socialement engagés dans leur milieu. Cela impliquait une rencontre à chaque début de mois, chez l'un ou l'autre des quatre couples du groupe. J'ai accepté de le remplacer et fus très heureux de mon expérience. D'autant plus que les membres du groupe étaient tous de mon âge, ce qui créait une dynamique plus intéressante que celle établie entre moi et les grandes filles à la campagne. En juin, alors que j'allais bientôt rentrer au pays, l'une des quatre femmes, Marie-Françoise, m'appelle de son lieu de travail et demande à me rencontrer. Elle propose le parc de la Tête d'Or. J'étais intrigué : aucune des huit personnes du groupe ne s'était adressée à moi auparavant pour discuter de problèmes personnels.

Même assise sur un banc, au bord d'un étang, avec en fond de scène un immense saule pleureur, dans le plus enchanteur parc de la ville, ce n'est pas simple d'avouer à un homme que tu l'aimes, que tu es prête à quitter ton mari pour lui et à le suivre n'importe où. Mot après mot, je ressentais toute la charge des sentiments de Marie-Françoise. Elle me transportait dans un ailleurs où je n'étais pas. J'avais l'impression de participer malgré moi, là sur ce banc, à quelque chose de grand et de fort. J'aurais voulu prendre Marie-Françoise dans mes bras, mais ce n'aurait pas été sage.

La vie nous réserve tellement de surprises incontrôlables qu'on n'a souvent d'autre choix que de s'en étonner, de les vivre avec lucidité et de les loger quelque part en soi. Marie-Françoise était une femme hors du commun, et j'étais renversé d'apprendre qu'elle s'intéressait à moi. J'ai conservé longtemps l'image de son visage en pleurs dans mon coffret de souvenirs.

Il ne m'est pas arrivé souvent d'engueuler Dieu. Mais là, j'en avais marre.

Que veux-tu de moi ?

Je n'y suis pour rien dans cette histoire. Elle s'est fait des accroires. Je veux bien consoler le monde. Prêcher ton amour. J'ai l'air de quoi ? De celui qui ne veut pas s'engager ? Qu'aurais-tu fait à ma place ?

Aurai-je à vivre cela souvent ? Qu'attends-tu de moi maintenant que je dois rentrer au pays ? Pas question que je devienne prêtre de paroisses, elles vont bientôt rendre l'âme. Ni que j'enseigne, tu veux rire ! Ni que je prêche, tout a été dit. Les occasions ne manqueront pas d'être gentil, chaleureux, aimable et secourable, tu sais. Et alors ?

Le Pasteur

Il semble bien que mon séjour européen ne m'eût pas déformé au point d'être devenu un plus mauvais gars qu'avant, puisqu'à mon retour mes supérieurs, se basant sur mes bonnes mœurs et ma réputation de bon priant et de croyant à toute épreuve — je n'ai jamais su quelles mauvaises langues avaient déblatéré sur moi —, m'ont confié une responsabilité : je devais jouer au berger avec cinq jeunes ayant reçu le fameux appel de Dieu. Un religieux dévoué et campé dans une bonne pâte d'homme les avait recrutés, croyant qu'ils pourraient devenir de bons enseignants de l'amour de Dieu. Ils approchaient de la vingtaine et faisaient leurs études collégiales. Je devais les soutenir dans leur réflexion pendant leur dernier bout de chemin avant d'entrer au noviciat. Il aurait été particulièrement mal venu de refuser ce service à ma communauté après les trois ans d'exil doré qu'on m'avait payés...

Selon l'entente, je devais loger avec mes jeunes postulants. Or, je n'avais pas réussi à louer un appartement de six chambres fermées. Nous allions devoir nous contenter d'un cinq chambres au coin de la rue Bélanger et du boulevard Pie IX. Qui allait coucher sur le divan-lit du salon ? Le sort n'est pas tombé sur le plus jeune, mais sur moi, qui tenait à être le plus effacé, le plus fidèle à son Seigneur. *Les premiers seront les derniers et les derniers seront les premiers dans le royaume.* La belle affaire ! Au fond, j'avais choisi cette ligne de conduite parce que je voulais mettre de la chair sur l'os de ma mission, qui était de donner de l'espoir à ceux qui n'ont même pas de sofa-lit pour dormir.

Du bon monde, ces jeunes avec qui j'ai passé une année somme toute correcte. Je n'avais pas été un enseignant compétent ni un étudiant appliqué à ses devoirs ; je ne fus pas non plus un entraîneur spirituel hors pair. J'avais ma petite idée du rôle que pouvait encore jouer le Religieux Frère dans la cité. Paradoxalement, je ne comprenais pas que des beaux grands garçons de leur âge y soient intéressés. Je les ai donc suivis dans leur propre démarche plutôt que les devancer ou les motiver à persister. À la fin de l'année, ils ont tous sacré le camp dans le siècle.

Le monde avait changé depuis que j'avais emprunté l'allée des sapins bleus. En douze ans, la modernisation sociale et culturelle et les médias de masse avaient attaqué le Québec de front et fait évoluer les mentalités. L'esprit de sacrifice, si cher aux chrétiens purs et durs, avait pris un coup de vieux. Le monde du ciel avait perdu de son attrait au profit de celui de la terre. Les confréries perdaient leur rôle rassembleur et les curés, leur autorité. Le supposé concile révolutionnaire n'avait pas eu beaucoup d'effet en fin de compte, ni les messes à gogo réussi à ramener les jeunes à l'église. Tout cela minait l'identité catholique de ceux qui s'étaient adonnés à une foi « culturelle » toute cuite dans le bec depuis leur enfance. Il n'est pas étonnant que, dans ces conditions, mes cinq jeunes n'aient été d'humeur à entrer en religion. Ils ont raccroché le téléphone, s'étant aperçus que l'appel n'était pas si pressant et que le chemin proposé était beaucoup trop étroit.

À vrai dire, leur cheminement spirituel passait au second rang de mes préoccupations. Tel un père de famille absent qui fait passer son job avant les siens, je consacrais toutes mes journées, et souvent mes soirées, à ma tâche d'animateur de pastorale dans un cégep du bas de la ville. Tous les matins, je prenais la 95 sur la rue Bélanger, puis le métro, et j'entrais au cégep du Vieux Montréal par la porte de côté qui donnait sur la grande salle des étudiants. Cet emploi me fut offert depuis la France. L'ami d'une amie m'avait recommandé à la direction et on m'a embauché sans me voir la face.

Il s'en brassait de grandes choses depuis le début des années soixante avec la commission Parent, dont la mission était de repenser l'école. Tout le Québec s'est retrouvé en chantier : les cours classiques ont disparu de la carte, les polyvalentes et les cégeps sont nés, les écoles normales et les instituts existants ont été intégrés au nouveau système. On assistait ni plus ni moins à la fin du contrôle de l'Église sur l'éducation et au début d'un temps nouveau, celui de la démocratisation du savoir. Et moi, je devenais par la bande un acteur de ces changements, en devenant un animateur de pastorale au service de collégiens. Je me considérais privilégié d'être plongé au cœur des activités fiévreuses d'une institution naissante et résolument moderne. Pour tout dire, c'était ma première participation active aux mouvements sociaux de mon époque.

En 1969, le cégep du Vieux Montréal recevait ses premiers élèves. C'était le bordel dans les pavillons. Moi et les trois autres membres du comité de pastorale avons offert nos services pour rendre plus fluides les allées et venues des étudiants décontenancés. Ce fut notre premier geste évangélique de l'année.

Quelle équipe nous formions! Réal, ce sacré Réal... Notre chef! Curé anticlérical avoué lui aussi, il investissait jusqu'au moindre bout de ses tripes dans les projets qu'il proposait. C'était un homme sérieux, engagé, loyal et intense, avec qui on ne causait pas de la pluie et du beau temps : on plongeait tout de suite dans son ventre au ras des rognons et on en ressortait les mains gluantes, mais la tête propre et aérée comme du linge sur la corde.

Faire équipe avec Louis-Pierre, c'était glisser à deux en traîne sauvage dans de la neige fraîche. Le vent, le froid, les cahots, rien ne pouvait nous faire peur : il était toujours d'un calme désarmant. Il sacrait délicieusement en tirant sur sa pipe. Les fumeurs de pipe ne sont pas des énervés ni des pressés. Ils enregistrent, analysent, évaluent et réfléchissent avant de donner leur avis et de décider. Avec du monde de même, le temps prend des vacances. C'était précieux d'avoir un Louis-Pierre dans l'équipe.

Mais Louise était celle avec qui je m'entendais le mieux. C'était la première personne que je rencontrais, hommes et femmes confondus, avec un esprit aussi clair, ordonné et profond. En plus, elle était drôle. Nos âmes se touchaient. Sans que je sois aussi brillant ni aussi déterminé qu'elle, nos esprits dansaient sur les mêmes musiques. Religieuse de vocation, célibataire par défaut, elle pouvait sympathiser avec mes bleus quand ils apparaissaient, et comprendre leur origine. Comme les autres, elle était antitout.

Dès le premier jour de la rentrée scolaire, nous nous sommes réparti la tâche de l'animation des quatre pavillons principaux du cégep. L'École des infirmières fut attribuée à Louis-Pierre, celle des cours professionnels à Louise. J'ai accepté joyeusement celle des arts, alors que Réal s'était réservé le pavillon de l'enseignement général. En très peu de temps, nous avons formé une équipe soudée et chaleureuse. Je préférais de loin la compagnie de mes coéquipiers le jour à celle de mes confrères le soir à la maison où j'habitais. J'ai eu vraiment de la chance de tomber sur ces trois personnes formidables.

Tous les mercredis, nous prenions le repas ensemble et prolongions la réunion une partie de l'après-midi. Nous faisions alors une mise en commun indispensable pour définir la fonction de notre service religieux dans une institution laïque. Nous étions payés par l'État et tenus de justifier nos choix d'activités... Il n'était pas question d'offrir des messes, des prêches, des confessions et des crucifix, pour finir en BBQ comme les pères Brébœuf et Lallemand ! Nous avions plutôt, chacun de notre côté, développé une approche pour soutenir tous ceux qui désiraient réaliser des projets « pour promouvoir la justice et l'amour ». Comme un dénommé Jésus de Nazareth. Ce que nous pouvions être naïfs...

Le pavillon des arts du cégep abritait jadis la réputée École du Meuble, où Gauvreau et Borduas entre autres avaient enseigné. Je ne sais trop de quels bois sélects était fabriqué le mobilier qui se trouvait dans le bureau qu'on m'avait alloué en début d'année, mais je ne me voyais pas assis sur un fauteuil d'un noble design à attendre que les étudiants viennent se confier à moi. Ma clientèle se tenait à l'étage de la cafétéria et n'en avait que faire de Jésus et du livre des Évangiles. Elle s'alimentait plutôt aux écrits de Wilhelm Reich et sa révolution sexuelle, au *Kamasutra* et ses soixante-quatre positions amoureuses, et à *La Vie des Maîtres* de Baird T. Spalding. J'ai renoncé à mon chic bureau généreusement éclairé pour me retrouver sur l'étage inférieur dans une pièce vide, sans fenêtres, attenante à la salle des étudiants, qui s'avérait être plus de mon calibre. Il n'était pas question d'apposer ni à la porte de mon nouveau local ni sur moi aucun signe religieux. Je ne voulais effaroucher personne. Je flottais sur cette foule de jeunes hommes et jeunes femmes telle une bouteille à la mer portant un message « de justice et d'amour ». Surtout d'amour.

Je ne sais combien de temps j'aurais poiroté seul dans ma sauce si Jean ne m'avait pas accosté, de façon assez singulière en plus. Jean, un finissant en design du meuble, connaissait tous les racoins de la bâtisse. Il connaissait surtout le local de l'infirmière juste en face du mien : il la visitait tous les jours... Il est apparu dans le cadre de ma porte un bon matin, alors que j'étais en train de disposer les chaises qui venaient de m'être apportées. Sans doute que la *nurse*, comme les étudiants l'appelaient, lui avait révélé mon identité. « Salut, sale curé ! » me lança-t-il, le visage tout souriant, en avançant dans la pièce, les deux mains dans les poches. Ça commençait bien.

Jean devint le plus fidèle ami que j'ai eu dans ce milieu. Bonhomme coloré et frondeur, c'est lui qui trouva une vocation à mon local vide. En dehors des heures de cours et d'ateliers, les étudiants manquaient d'endroits pour terminer un travail inachevé, de peinture, de dessin ou de sculpture. Mon « bureau » n'était pas grand, mais il ferait l'affaire.

— Comme ça, tu pourras en profiter pour prêcher ta bonne nouvelle...

Ainsi l'Atelier Libre vit le jour. Avec la complicité du magasinier, on installa dans le local une table, des armoires et des tablettes, qu'on a remplies avec toutes sortes de matériaux : du bois, du plexiglas, du métal, du carton, des colles et tous les outils qui vont avec. Je me retrouvais soudain chef d'atelier. Ne manquaient plus que les salopettes, les lunettes et la casquette.

Je me sentais à l'aise dans cet environnement. J'étais bien tenté de me mettre à l'œuvre, sauf que je n'étais pas là pour satisfaire mes propres besoins créatifs. Je devais créer des liens. À ceux qui se montraient le nez dans la porte pour voir ce qui s'y trafiquait, j'expliquais que cet espace était à leur disposition de huit heures du matin à dix heures du soir. Plusieurs trouvaient que c'était une bonne idée, mais très peu ont utilisé mon local pour faire leurs devoirs inachevés. Et j'eus beau inviter ceux qui y flânaient à s'exprimer ou se défouler avec du matériel et des outils fournis gratuitement, rares furent les œuvres qui sortirent de là. En fait, il n'y en a eu que deux, dont l'une coûta cher aux contribuables. L'idée de son auteur — je crois qu'il s'appelait Luc — était de modeler une tête entièrement composée de colle époxy. Il lui en fallut quatre litres. Comme on n'intervient pas dans le processus de création d'un artiste, je le laissais faire. Cependant, ce matériau coûteux est fait pour servir de colle et non pour être aggloméré. L'œuvre resta inachevée. L'autre pièce qui a émergé de cet endroit hautement fécond, une œuvre collective celle-là, fut une grosse boîte de *Cracker Jack* dans laquelle pouvaient loger deux personnes. Les concepteurs de la boîte n'étaient pas très actifs habituellement : ils venaient flâner chez nous parce qu'il y avait trop de bruit dans la grande salle. J'aurais été un homme empaillé qu'ils seraient venus pareil. En tout cas, j'étais heureux de les voir s'affairer, et j'étais fier de raconter l'anecdote à mes amis du dehors. Je la voyais superbe, cette boîte, avec ses couleurs blanc et rouge, ses dessins de pop corn sucré et le petit bonhomme bleu en train d'en manger. Grande déception : elle traîna des semaines dans le corridor, abandonnée, à moitié finie et fainéante, avant de se retrouver au chemin avec les autres poubelles.

Le petit curé cool de l'Atelier Libre ne possédait pas beaucoup de leadership, à vrai dire. Je ne voulais amener personne nulle part en particulier, pas même dans le royaume de Dieu. De toute manière, y serais-je parvenu ? Tout ce beau jeune monde était chauffé à blanc par une décennie d'effervescence sociale sans précédent. Depuis l'âge de huit ans, ils avaient été témoins d'événements majeurs et marquants. Ils avaient d'abord entendu leurs parents pousser un soupir de satisfaction lorsque 1960 avait vu arriver au pouvoir « l'équipe du tonnerre » de Jean Lesage. Ils avaient été de la première génération à remplir les polyvalentes où l'on formerait, pensait-on, des libres penseurs. Ça sentait l'avenir prometteur autant à la maison qu'à l'école : même leurs parents avaient délaissé leurs vieux repères pour en adopter de nouveaux ! Avec « Maîtres chez nous » pour slogan, le nouveau gouvernement avait soufflé malgré lui sur la brise indépendantiste. Le rêve de liberté des Canadiens français était alors plus vif, dynamique et répandu que jamais. Il avait fait naître chez les plus impatients et radicaux le Front de libération du Québec. Quand on a onze ou douze ans et que des jeunes pas tellement plus vieux que nous font sauter des bombes dans une boîte à malle au coin de la rue, on se dit que tout est permis...

De la dynamite, il y en avait dans toutes les sphères : Montréal s'est dotée d'un métro tout neuf, juste en temps pour l'Expo 67 ; l'Expo 67 a fait exploser les frontières et ouvert le Québec sur le monde... Quelle chance pour ces jeunes d'avoir pu ajouter de la couleur à leurs rêves ! Vint ensuite mai 68, qui a trouvé écho au Québec à l'automne, avec les manifs des étudiants pour un meilleur accès aux études universitaires. Et l'Osstidcho au Quat'Sous décoiffant la culture des bien-pensants. Tout pour bien préparer la génération de ces cégépiens à accueillir l'appel de Claude Péloquin gravé sur les murs mêmes du Grand Théâtre de Québec : « Vous n'êtes pas écœurés de mourir bande de caves ! » Une invitation pareille ouvrait sur un champ de liberté où allait pousser des politisés tenaces, des dopés malheureux, des foireux rêveurs et toute une génération voulant tâter la vie différemment de leurs parents.

Ces jeunes que je côtoyais tous les jours voulaient être libres de chercher et de trouver par eux-mêmes ce qui leur tentait. Juste essayer pour voir. Les jeunes de l'Atelier Libre, eux, n'essayaient pas grand-chose. Ils avaient besoin qu'on les laisse tranquilles. Qu'on ne les juge pas surtout. Ma mission pastorale a pris la forme de leurs besoins : je leur ai sacré patience.

Jean répétait tout le temps : « Curé! T'es venu ici pour nous convertir, c'est nous qui t'avons converti! » Pas tout à fait. Un soir d'octobre 1970, à la veille de la votation de la *Loi sur les mesures de guerre,* je m'étais joint aux étudiants pour occuper le pavillon des arts durant toute une nuit. Quelles solidarité et générosité se sont manifestées cette nuit-là! C'est indescriptible. À l'aube, la brigade antiémeute nous avait fait décamper sans trop nuancer leurs gestes. Devant la façade de l'édifice, nous chantions, sur l'air de *Un mille à pied* : « Un coup d'matraque, ça frappe, ça frappe. Un coup d'matraque, ça frappe en tabarnak. » Nous alternions avec des invectives aux policiers, à la manière d'une sirène de pompier : « Les... bœufs, les... bœufs, les... bœufs, les... bœufs, les... bœufs », et d'autres slogans lancés avec cœur. J'étais si peu converti aux manières des jeunes que je chantais : « Ça frappe en tabaslaque » et gardais le silence lorsqu'ils criaient « les bœufs ». Mon petit cœur tendre de religieux ne pouvait pas manquer de respect...

Moi qui étais si fier de mon Atelier Libre, je n'eus pas la chance de le voir vieillir. Comme j'étais le plus souvent attablé dans la salle à boire des cafés avec celui-ci ou celle-là, les outils ont commencé à disparaître les uns après les autres. Bientôt il ne resta plus que quelques ciseaux éméchés et un marteau de bois. Le local s'est aussi vidé de son monde, même de ceux qui n'avaient rien à cirer de mon attirail d'artisan grappillé. Est-ce que j'avais pris le champ? Qu'est-ce que Dieu venait faire dans une boîte de *Cracker Jack*?

Dieu est partout, tout le monde le sait. J'étais son envoyé. Il m'avait choisi pour que le monde comprenne le message sur le papier dans la bouteille : « Dieu vous aime ». Eh bien, que sa volonté soit faite! La bonté divine devait suinter d'un homme comme moi, imbibé d'une telle mission, qu'on prenne avec lui un café ou une bière dans un bar. Je me suis senti libéré, tel Zorba le Grec dansant après l'effondrement de son téléphérique de broche à foin!

Le local ne m'étant d'aucune utilité, je devins itinérant sur la place publique de l'école et de ses environs. Dieu s'est incarné et a emprunté la nature de l'Homme pour le sauver; suivant cet illustre exemple, je me faufilais dans les classes pour assister à différents cours, assis au milieu de tous ceux que je devais « guider ». En dessin, j'ai vu une femme toute nue pour la première fois, posant pour les futurs artistes. En poterie, je me suis fait bien des amis. On s'était habitué à me voir dans le pavillon. On me tolérait partout. On oubliait qui j'étais. Peut-être l'avais-je oublié moi-même.

Mon baptême de party, je le dois a des apprentis potiers qui m'avaient invité à une de leur fête, quelques semaines après mon infiltration dans leurs rangs. Quand on débarquait dans une soirée comme celle-là, si on arrivait tard, personne ne nous accueillait, chacun étant déjà parti en voyage. On déposait sa caisse de bière à la cuisine et on allait s'écraser sur un coussin ou danser en solo, dans sa bulle, au son de la musique forte de Led Zeppelin. J'ai choisi de m'asseoir. À travers la fumée, j'avais repéré une place sur un coussin, à côté d'un gars que j'avais croisé une fois ou l'autre. Adossé au mur du fond, il semblait déjà décollé ou branché sur la musique, je ne savais trop. Quand un joint passa, il ouvrit les yeux, en aspira un coup et me l'offrit en souriant. C'était le premier geste d'accueil qu'on me faisait. J'ai passé le joint directement au suivant : j'étais en service! J'aurais préféré plus de communication et d'éclairage, mais comme Dieu fait homme, je me pliais aux coutumes des habitants du lieu.

Il m'apparut clair finalement que mon voisin n'était pas en écoute intensive de musique. Son corps s'était incliné vers moi, sa tête ronflante, affaissée sur mon épaule. Les cinq premières minutes, ça allait. Quel attendrissant tandem devions-nous former... Bonté divine que je n'étais pas à mon aise ! Qu'allait-on raconter ? Devrais-je le réveiller ? Me soustraire à lui bien doucement ? L'aider à s'étendre sur les coussins ? On ne réveille pas quelqu'un qui dort. Le sommeil, c'est trop précieux. Il cherchait une épaule où poser sa tête, j'étais là pour lui. Il m'offrit un deuxième sourire en se réveillant. Je me suis levé pour danser. Mon déhanchement n'était pas très harmonieux, mais c'était sans conséquence : tout le monde avait les yeux fermés. Je suis sorti de là épuisé. J'avais tout donné.

Un autre groupe m'invita à un party un soir d'élections, des mordus de politique qui préféraient fêter la victoire en pleine lumière plutôt que dans la pénombre. Une soirée très animée et copieusement arrosée, sans musique, seulement des voix de gars et de filles qui aspiraient à prendre un jour le pouvoir, et qui ne se gênaient pas pour se couper la parole les uns les autres. Encore là, je n'ai pas dit un mot de la soirée, sauf vers la fin, lorsque le plus volubile d'entre eux s'intéressa à moi. Un homme très chaleureux, aux yeux clairs. Il avait bu plus que moi, mais ne s'enfargeait pas dans ses mots. Nous avons bien rigolé. Puis vint le temps de partir. Il n'était pas question qu'il prenne son auto, et moi, j'habitais à deux pas. Je logeais depuis peu dans une chambre minuscule avec un lit à une place, sur lequel j'avais rajouté un matelas que je déposais par terre quand ma sœur venait en ville. Alors je lui ai offert de venir dormir chez moi. Nous avons salué ceux qui restaient et sommes sortis.

Une fois dans la chambre, j'eus à peine le temps d'étendre le matelas par terre qu'il s'est jeté sur moi, la bouche ouverte et la langue sortie. Il insistait, je me suis débattu : pas question qu'il me touche ! Grand naïf, je n'avais rien vu venir, et ne m'étais douté de rien. Et lui, qu'avait-il compris ? Mon ouverture, ma chaleur et mon accueil inconditionnel l'avaient-ils trompé ? Il n'avait vraiment pas un bon pif.

Qu'allions-nous faire ? Je n'avais pas d'objection à ce qu'il dorme chez moi. Mais, ses bébelles, dans sa cour ! Avant de se mettre au lit, il se réessaya, sans plus de succès. Le lendemain au réveil, il s'habilla et me lança avant de sortir : « J'ai trouvé ça un peu sec à mon goût ! » Par la suite, je me suis tenu sur mes gardes avec les gars chaleureux aux yeux clairs.

Je n'avais jamais vécu dans un milieu si permissif où tous les effluves se mêlaient et flottaient à tout vent. Est-ce que j'en dégageais qui attiraient les hommes ? Je ne me suis pas posé cette question alors. J'étais disponible pour tous et toutes. Dieu n'est pas sexiste.

L'Infidèle

Sortir des sentiers battus ne voulait pas dire défricher toutes les terres. Je ne pouvais me permettre d'entretenir des « amitiés particulières » avec qui que ce soit, homme ou femme. Le défi était de taille, je devais constamment réévaluer les limites de mon penchant vers l'amour avant le déséquilibre, surtout à cette époque phare de l'amour libre! Garder le cap semblait particulièrement difficile avec la gent féminine, auprès de qui j'avais énormément de succès comme confident. J'étais le raccommodeur des cœurs brisés, celui qui était toujours là, toujours disponible, compréhensif, toujours à l'écoute. Le chum parfait, quoi, si ce n'était de mon célibat volontaire! Mais que faire lorsque l'autre s'attache? Couper les liens? Bien sûr que non! Dieu ne coupe pas les liens. Il accompagne en silence, il aime sans envahir ni accaparer. Tout un programme pour son petit prêtre qui, depuis sa plus tendre enfance, cherche à se montrer beau bonhomme pour se faire aimer. Je jouais avec le feu.

Quand une femme est en rupture avec son chum alors qu'elle vient de se faire avorter et qu'elle ne sait pas si elle veut le revoir, qu'elle n'a pas d'amis et qu'en plus, elle traîne avec elle un lourd passé, elle se trouve chanceuse de croiser sur son chemin un homme d'agréable compagnie, surtout s'il la valorise. S'il rapplique et revient la visiter pour voir comment elle va, ça ne règle pas ses problèmes, mais elle ne pense plus à ses bobos, et rigole même un coup avec lui. Elle ne peut s'empêcher de se demander ce qu'il cherche au juste. Pourquoi s'intéresse-t-il à elle? Est-ce qu'il manque d'affection, est-ce qu'il la *cruise*, est-ce qu'il la prend en pitié? Elle ne peut pas savoir que ce gentil bonhomme est en mission; qu'il est là, auprès d'elle, pour symboliser l'amour de Dieu. Finalement, elle s'accroche à lui.

Voilà que Martine, comme bien d'autres avant elle, avait pris mon engagement purement altruiste pour une inclination amoureuse. Dame pitié s'était pointé le bout du nez. Chère pitié! Dire que tu as si mauvaise réputation... Pourtant, combien de gestes nobles ont été accomplis, initiés par toi! Bref, je fus particulièrement sensible aux humeurs dépressives de Martine. Je l'ai toujours connue brisée. Un jour que j'attendais des amis dans un bar à la sortie d'un cours, perdu dans mes pensées, une jeune femme s'est assise directement à côté de moi. Avec ses cheveux brillants mais en bataille, ses beaux yeux mouillés par les larmes, elle ressemblait à un beau vase précieux à recoller morceau par morceau. Une cause digne d'un chevalier de Dieu. La mission fut facile à lancer : je n'ai eu qu'à ouvrir la bouche pour libérer son propre flot de confidences.

Je n'avais pas la prétention de la sauver, je pensais au moins être utile. Le sentiment d'utilité donne du sens à l'existence. Je voulais partager tout ce que j'avais, même mon bonheur. Si je le gardais pour moi tout seul, j'avais le sentiment de priver l'autre.

À force d'être disponible pour tout un chacun, je croyais avoir trouvé ma voie. Et ma joie. Je m'aventurais dans mes relations avec hardiesse et confiance. Je ne parlais que très rarement de Dieu, mais je croyais quand même dire quelque chose de Lui. De quoi avais-je peur? De faire rire de moi, alors que Dieu ne me semblait pas très populaire? Que mes propos soient remis en cause, alors que je n'étais pas un as de la polémique? J'avais pourtant étudié plusieurs années dans le domaine de la religion. N'avais-je donc pas confiance en mes capacités? Ou en moi-même? Était-ce ma foi en Dieu qui n'était pas assez assurée? C'était quoi, cette valse hésitation? Avais-je donc fait tout ce parcours pour rien? Pour en arriver à un balbutiement? Si je croyais mon message démodé et irrecevable, qu'est-ce que je foutais là?

La réponse, je l'ai découverte plus tard. C'était ma peur de foncer, d'être refusé et jugé. Autrement dit, j'étais freiné par ma tendance à me replier bien au chaud dans ma cabane isolée. Je reproduisais mon mouvement initial de recul vers le ventre de ma mère. Peur d'affronter la vie.

Peur de la danser. Peur de l'autre. Plus précisément, peur que l'autre ne m'aime pas, moi, le quêteux professionnel de tendresse. Pour un prêtre catholique, ce n'était pas très productif!

Néanmoins, c'est emmanché de même que j'ai négocié ma mission. Et ce fut à la fois ma force et ma faiblesse. J'avais inventé une manière de m'adapter au monde, une manière marginale qui me donnait satisfaction et amour au centuple. La façon traditionnelle de l'Église de proposer l'Évangile avait atteint sa date de péremption. On avait tellement fait peur au monde avec le feu de l'enfer que je peinais à suggérer la chaleur de Dieu. Ma propre lecture de l'Évangile donnait toute la place à l'amour fraternel. Je trouvais là mon énergie pour ne pas être en appétit de sexe.

Tout le monde sait que Dieu est exigeant. Celui qui croit que le divin l'habite ne peut se livrer à moitié. Il lui faut donner le meilleur de lui-même. Il a peur de ne pas être à la hauteur. Il se craint, il craint Dieu. Vaut mieux aller jusqu'au bout.

Dans ma relation avec Martine, je ne suis pas allé jusqu'au bout. J'ai joué l'aidant naturel, dissimulant le message coincé dans ma bouteille à la mer. Elle s'est agrippée à moi sans me lâcher. Dieu est patient et aime sans condition. Il est habile, garde ses distances et, surtout, ne craint pas qu'on l'étouffe. Moi, oui. Les griffes de Martine dans ma chair me faisaient mal. J'étais son seul ami. Elle me téléphonait sans cesse, me laissait des messages, je la rappelais une fois sur deux. J'avais peur qu'elle me bouffe tout rond. Jésus serait allé jusqu'au bout, en homme libre. Je me sentais enchaîné, et j'ai fui en feignant ne pas entendre la sonnerie du téléphone. Elle est partie d'elle-même.

Mon ami Jean me regardait aller, mi-amusé mi-jaloux de me voir constamment en compagnie de jeunes étudiantes.

— Sale curé, tu te paies du bon temps! Arrange-toi pas pour attraper des maladies... Je connais une de tes protégées, et elle baise plus souvent qu'à son tour.

— Ben voyons, je respecte trop les filles pour coucher avec elles, répondis-je fièrement.

À la tête qu'il faisait, il était clair que Jean ne me comprenait pas. Tout n'était pas tellement clair dans ma tête non plus. Après cette histoire avec Martine, j'étais rongé par la culpabilité. Mais je n'allais pas reprendre mes cartes : il me fallait passer l'éponge sur mes défaites et poursuivre ma mission. J'étais, après tout, le trait d'union entre Dieu et le monde.

Pour me procurer d'autres occasions de tisser des liens avec les étudiants, j'ai décidé d'assister à un cours d'histoire de l'art, comme auditeur libre. M'implanter de façon plus *steady* dans un groupe devrait certainement m'aider à nouer une relation avec eux. Et puis, la matière m'inspirait. Le professeur n'y voyait pas d'objection, « à condition que tu ne *cruises* pas *mes* filles ».

Par adon, au deuxième cours, je m'étais assis à côté de la même personne qu'au premier. Elle m'a souri, et nous nous sommes présentés. Une blonde aux cheveux courts, au visage rond et à la voix de velours. Elle devait savoir qui j'étais, puisqu'elle m'a demandé si je connaissais Lanza del Vasto. J'avais lu *Le Pèlerinage aux sources*, et j'étais fasciné par sa pensée et ses réalisations. Apôtre de la non-violence à la suite de son maître Gandhi, il avait fondé avec sa femme Chanterelle des communautés axées sur la pratique du travail et de la non-violence, choisissant de transformer l'homme par l'exemple. Ça tombait dans mes cordes.

Josianne était pratiquante catholique. Après tout ce temps passé en terre païenne, je repérais enfin une baptisée confirmée. En quelque sorte, nous étions deux poissons rouges dans le même bocal. Cours après cours, nous nous assoyions toujours côte à côte, trop bien élevés pour parler durant les exposés du professeur, mais intarissables à la sortie de la classe. Étonnamment, nous nous voyions peu en dehors des murs du cégep. Peut-être avions-nous peur de trouver des failles dans cette amitié pure? Le fait que nous n'étions pas tout à fait sur la même longueur d'onde sur certains points religieux y était probablement pour quelque chose. Par exemple, un bon jour, elle m'a confié que l'Eucharistie avait une grande place dans sa vie depuis qu'elle était toute petite. Elle croyait fermement en la présence divine dans le pain sacré. L'acte de communier était au cœur de sa foi en Dieu, étant donné la forte et terrible expérience qu'elle disait y vivre. Chaque fois qu'elle communiait, elle était tout autant troublée que ravie par l'inexplicable intimité qu'elle retrouvait entre elle si petite et son Dieu si grand.

Nous avions bien des choses en commun, mais pas cette expérience. Josianne était stupéfaite d'apprendre que la messe n'avait pas une place centrale dans ma vie. Venant d'un prêtre, c'était effectivement étonnant ! Elle aurait tant aimé que nous nous entendions sur ce point. Selon les normes catholiques, un prêtre n'était tenu de célébrer la messe que si un groupe de fidèles le requérait. Autrement il devait y assister le dimanche comme tout le monde. Puisque mes fidèles se faisaient rares et que j'étais plutôt catholique à gros grains, je ne communiais pas souvent au pain sacré. Je buvais plutôt les paroles que Jésus adressait à son Père dans les Évangiles et m'en servais comme mantra dans mes méditations quotidiennes. Cela me suffisait pour garder le cap et le contact.

Ah Josianne, belle âme pure ! Les conversations avec elle étaient si simples, si détachées des questions habituelles qui compliquent les relations homme-femme, si dénuées d'intérêt... pour un missionnaire comme moi. Elle n'avait pas besoin d'un guide, elle avait trouvé son Seigneur, tandis que j'étais entouré d'âmes à toucher. Faillait que je m'active.

Le prof jaloux de ses filles n'avait rien à craindre : mes yeux accrocheurs comme des manches de parapluie *cruisaient* pour Dieu et visaient toute la faune estudiantine. Et je suis devenu de plus en plus entreprenant. Je ne tenais pas seulement à établir des contacts et témoigner de la bonté divine : je m'offrais en pâture à qui voulait me manger. Comme le corps du Christ, tiens ! Il n'est donc pas surprenant que toute la classe apprenne enfin qu'il y avait un agent double dans le groupe, curé de surcroît. Et la belle Annie se tenait loin de l'intrus. Ça m'intriguait, j'allais mon chemin et ne m'en préoccupais pas. Un jour où je m'étais attardé au bar Chez Émile avec mes camarades de classe, elle me lança sans avertissement :

— Ça paraît que vous êtes un curé... Juste à vous voir marcher.

Une claque sur la gueule ne m'aurait pas plus insulté.

— Comment ça marche, un curé ? lui ai-je répondu.

— On dirait que vous n'êtes pas sûr de vous. Vous ne marchez pas d'aplomb.

Je la trouvais effrontée mais courageuse de m'accoster de cette manière. Elle aurait bien pu continuer à m'ignorer. Ma présence la dérangeait-elle ? L'inquiétait-elle ? Peut-être souhaitait-elle connaître le contenu du message de la bouteille ?

Nous avons commandé une autre bière. Au fil des gorgées, une sorte de complicité s'est installée entre nous. Ma dégaine est vite passée au second plan, et la conversation glissa vers le virage à cent quatre-vingts degrés qu'elle avait pris dans sa vie. Annie était la plus âgée de la classe et elle avait du vécu. Elle avait suivi une thérapie à l'intérieur d'un groupe qui prônait la renaissance. Lors d'une cérémonie de *rebirth* dans les eaux froides de la rivière du Nord, elle avait changé de nom : Colette avait voulu se laver de son passé en revêtant l'identité d'Annie. Sans me raconter en détail ce qui lui était arrivé, elle m'en parlait avec tellement de hargne que le bain ne l'avait manifestement libérée de rien. Tout à coup, elle dit : « Changeons de sujet, veux-tu ! » Et elle me questionna sur mon travail au cégep. C'était la première fois que j'avais à m'expliquer sur mon mode de présence. Elle était scandalisée d'apprendre que je recevais un salaire pour ce que je faisais. J'eus du mal à le justifier moi-même. Nous avons dû couper court à cette conversation, car Annie devait passer prendre sa petite fille à la garderie. J'avais été étonné par cette annonce : jamais durant toute notre conversation Annie n'avait mentionné son enfant... Au cours suivant, je pris des nouvelles de sa fille. Après m'en avoir amoureusement parlé, elle ajouta : « Un jour, je te la présenterai. »

La compassion que j'éprouvais pour cette femme terriblement marquée par son passé m'attendrissait à un point tel que je me suis attaché à elle. Je croyais pouvoir lui être utile par ma présence rassurante. Et je crois qu'elle la souhaitait. Notre relation lui était bénéfique, puisqu'Annie m'a ouvert toutes ses portes, en m'invitant effectivement chez elle pour que je fasse connaissance avec sa petite Émilie. Mignonne, haute comme trois pommes, Émilie me fit une belle façon, et moi de même. Pour un temps, j'allais être la seule figure masculine à graviter autour d'elle.

Annie ne laissait pas beaucoup paraître ses émotions. Juste assez pour que je me sente toujours le bienvenu chez elle, le jour et la nuit. Un soir de tempête de neige, au moment où j'allais me coucher sur le divan, elle est venue me souhaiter bonne nuit en me caressant la joue du revers de la main : « Tu es un bien curieux bonhomme... Dors bien », dit-elle avant de me tourner le dos pour se rendre à sa chambre. Je savais que ce n'était pas une invitation à la suivre. Était-ce une invitation à rester ? Avions-nous atteint une fourche dans notre chemin ?

L'année suivante, elle n'avait pas le cours d'histoire de l'art à son horaire. J'eus moins l'occasion de la croiser, nos rencontres s'espacèrent. Et finalement, quand Émilie commença à fréquenter l'école, elles déménagèrent. Nous ne nous sommes pas revus.

Si Annie était la plus belle fille de la classe, elle ne m'attirait pas sexuellement. Oh, il y a eu des moments où je l'aurais bercée jusqu'au petit matin. Nous étions conscients tous les deux que nous serions des amis de soutien passagers. Je crois qu'il n'y avait rien d'artificiel ni de faux dans cette relation. Je ne jouais pas à l'amant ni au père. Le lien qui s'est établi n'entrait dans aucune catégorie. Quelque chose de bon, d'utile et de transcendant me guidait. J'avoue que j'y ai cru.

Aimer les femmes sans que le sexe soit dans mon champ de vision faisait partie de ma contre-culture à moi, alors que tout autour la société se sexualisait de plus en plus et chosifiait toujours la femme effrontément. J'avais le sentiment que la révolution sexuelle avait libéré les hommes plus que les femmes.

Je n'ai jamais *subi* mon état de célibataire ni mon vœu de chasteté, ni été jaloux des escapades de confrères qui ne se formalisaient pas de la chose. Dieu ne promettait-il pas à ceux qui croient en lui gros comme un grain de moutarde de pouvoir déplacer des montagnes ? Il aurait pu ajouter qu'il en existe de bien plantées qu'il fait bon admirer, hiver comme été.

Comme Marie-Christine.

Majestueuse, élancée et tête dorée, elle est vite devenue pour moi une montagne indélogeable et incontournable. J'ai pourtant mis un peu de temps à la remarquer. C'est lors de son exposé de fin de session sur le préraphaélisme... non, le fauvisme... non, ça devait être quelque chose de plus contemporain. Enfin, je ne sais plus. De toute façon, ce jour-là, les mots avaient perdu leur sens dès que ses yeux croisèrent les miens. Elle s'est soudainement tue. Tous les autres étudiants se regardèrent, étonnés, sauf moi : j'avais été hameçonné.

Je ne suis pas tombé dans son œil à cause de mon bagage spirituel. Marie-Christine était anti-religion. À vrai dire, je ne sais pas ce qu'elle me trouvait. On s'est aimé, c'est tout. Nous nous connaissions à peine lorsque nous sommes allés voir *La charge de l'orignal épormyable* de Claude Gauvreau. Du bonbon pour nous, les rebelles. Je me sentais maladroit dans mes habits du dimanche, elle m'impressionnait tellement : digne, belle, cultivée ! Grâce à Marie-Christine, j'ai pris le temps de m'émerveiller devant les surprises et la générosité de la nature, et je me suis familiarisé avec l'art de la scène. Petit à petit s'est installée entre nous une nécessité. Nous avions besoin l'un de l'autre. Je ressentais même de la jalousie à certains moments. J'étais cuit. Bien cuit. Et ses yeux tendres, sa voix accommodante et ses petites attentions m'assuraient qu'elle était cuite aussi.

Commença pour moi une lutte infernale. Mon désir de faire l'amour avec elle me tourmentait. Ma mission pâlissait. Mes vingt ans de continence suintaient de partout. Dans ma tête, le pour et le contre se bousculaient. Dieu se taisait. Aucun ange à l'horizon. J'ai même cru un moment à l'existence du démon et de ses tentations, mais vite je l'ai éliminé du décor. Au vu et au su de Dieu, nous avons fait l'amour. J'étais novice, elle m'a appris. Du sexe, j'en voulais encore et encore. Au diable la culpabilité et la confession ! Monsieur le curé était en amour ! Marie-Christine, l'anticléricale, aussi. Je ne le criais pas sur les toits, mais je ne me privais pas non plus de me montrer avec elle. J'étais en amour de cœur et de corps. Marie-Christine me faisait exister tout entier. J'étais enfin un homme complet.

Par un curieux hasard, je fus invité à prendre la parole lors d'un séminaire organisé par un ancien confrère, dont le thème était « la fin d'une religion ». Quel sujet ! J'ai quand même accepté. Ça tombait à point.

Le séminaire se tenait dans une polyvalente d'un quartier favorisé de Montréal, où on se targuait d'offrir une éducation « résolument moderne ». En entrant, j'ai vu une salle comble d'élèves du secondaire V et de têtes plus mûres. C'était impressionnant. Je me suis installé dans un des derniers sièges libres pour écouter la dernière conférencière du matin, une militante de l'indépendance financière des femmes bien connue. Elle proposait d'imaginer comment aurait évolué l'Église catholique si les curés avaient été mariés — avec des femmes, cela s'entend. Auraient-elles eu une influence sur les croyances et l'ensemble du système religieux ? Ce qu'elle nous a fait rigoler avec ses projections ! Puis elle conclut : « Laissons les mâles finir leur sale boulot tout seuls. Ils sont bien partis. » On ne pouvait pas vraiment dire que ça se terminait sur une note d'espoir.

Après la pause du dîner, ce fut mon tour. J'étais nerveux. Je n'avais aucun mémo, aucun texte. À partir de quelques faits tirés de mon expérience personnelle, je me suis hasardé à démontrer à mon auditoire que j'étais moi-même un produit dérivé de la décadence de la religion catholique. Dans une Église en bonne santé, les prêtres vivent au sein de leur communauté de fidèles. Ils ne sont ni itinérants, ni étudiants, ni marginaux comme moi. Ils prêchent et administrent les sacrements à des gens de tous âges, pas seulement à des têtes grises. Est-ce que je pouvais encore me dire prêtre catholique? « Qu'est-ce que vous en pensez? » Avant qu'on me réponde, je leur ai raconté que j'étais en amour jusqu'aux oreilles, que j'étais le plus heureux des hommes, des prêtres en fait. Plusieurs mains se sont levées :

— Vous êtes en amour, vous faites l'amour et tout et tout? Bravo! Je suis bien content pour vous! Comment vous arrangez-vous avec votre évêque?

Une question facile à répondre, puisque je n'avais aucun contact avec lui ni avec mes supérieurs. Les interventions suivantes étaient plus embêtantes.

— Est-ce que vous avez l'intention de défroquer?

— Allez-vous contester les lois moyenâgeuses de l'Église tout en restant dedans?

— Si je comprends bien, vous voulez rester curé... avec une maîtresse? C'est ça, hein?

Là, ça n'allait plus du tout. Leurs questions m'avaient déconnecté de l'état chaleureux et sincère qui m'animait en leur faisant part de mon bonheur d'aimer et d'être aimé. Je balbutiais. Je n'avais pas de réponses claires. J'étais fourré, quoi! Et voilà que la conférencière du matin, qui s'était assise dans la salle, se leva :

— Pourquoi cherchez-vous à le coincer? Quand il nous racontait son expérience et qu'il nous confiait qu'il était en amour, j'étais en état de grâce. Cela ne vous suffit pas?

Plus personne n'a osé parler, moi inclus. Les questions qui m'avaient été adressées n'en étaient pas moins pertinentes. Je flottais bien haut sur le nuage de l'amour, et voilà qu'on me ramenait à des considérations mondaines. En fait, presque mondaines : ce n'était pas avec mon évêque que je devais composer, mais avec Dieu.

Marie-Christine et moi n'avons dansé qu'un seul été. Je me suis mis à souffrir d'insomnie. C'était bien beau, l'amour, l'amour, mais j'avais signé un pacte avec Dieu dans mon enfance et n'avais jamais mis fin au contrat. Je ne pouvais pas retirer mes billes si facilement.

Les hommes ont la réputation d'avoir du mal à s'engager. J'étais donc rendu un homme normal sur toute la ligne. Marie-Christine était une femme mature. Avec elle, on ne ballottait pas longtemps.

— Tu es en amour avec moi, je suis en amour avec toi, branche-toi, mon bonhomme. Je m'en sacre de ton Dieu. Je ne passerai pas l'hiver avec un branleux. Je souffrirai, je le sais. Mais j'aime mieux souffrir seule qu'à deux.

Aussi curieux que cela puisse paraître, ma décision fut vite prise. En fait, Marie-Christine a pris la décision à ma place. Me voyant incapable de choisir, elle ouvrit une carte du pays, pointa le doigt sur une ville au nord de l'Ontario.

— Je m'en vais là.

Je l'ai laissée partir.

La lutte infernale reprit. J'étais en colère contre Dieu. Je lui balançais des injures par la tête. J'avais recommencé à dormir, mais je ne mangeais plus ! Une lettre de Marie-Christine m'a redonné des couleurs. Elle s'intéressait encore à moi, me demandait des nouvelles, me disait *au revoir*... Dans ma réponse, j'ai veillé à ne pas choisir des mots affectueux. Je surnageais, gardais malgré tout une petite place en moi pour l'espoir.

Dans sa deuxième lettre — je me souviens encore des mots — elle me disait : « Ma tendresse s'efface tranquillement. » Mon cœur s'est gonflé tout à coup d'une tristesse énorme. C'était donc vraiment fini entre nous ?

L'impérieux amour me brûlait, j'avais envie de tout quitter, de la rejoindre au loin, de refaire ma vie là-bas. Je cédai à cette tentation, sortis papier et plume, mais il n'y avait rien de naturel ni dans les mots ni dans les gestes. J'avais l'impression d'être à une séance d'écriture automatique. Pourtant, jamais de ma vie je n'ai rédigé une lettre avec autant de portée et de lourdeur. Je lui annonçais, sans lui avoir demandé ce qu'elle en pensait, que je débarquerais chez elle le premier du mois suivant, et que je passerais le reste de mes jours avec elle. Et avec amour et tremblement, je déposai la lettre à la poste.

Et la frousse me reprit. Le doute, le maudit doute! Depuis un bout de temps, Dieu se taisait. Maniganceux comme il est, peut-être misait-il en silence? J'étais rendu à douter de son aide. Je me livrais un combat à moi-même. *Est-ce que je suis viré fou ou quoi? Pourquoi j'ai écrit cette lettre? Marie-Christine ne mérite pas que tu joues avec elle ainsi. Partiras-tu ou non?*

Je ne suis pas parti. Avant qu'elle ait le temps de me répondre, je lui ai téléphoné. Je ne me souviens pas quels mots j'ai pris pour l'informer que je ne viendrais pas, ni ceux qu'elle utilisa pour accuser le coup. J'avais tellement honte de moi. Honte de ne pas m'être battu à mort pour sauver le précieux cadeau que la vie m'avait offert. Pourtant, je n'avais été que fidèle à moi-même.

Plutôt que d'être complètement démoli après une telle déroute, je me suis remis à manger. Comme un cochon. Mon appareil digestif n'avait pu s'acclimater au corps d'emprunt que je lui avais imposé durant tout cet été. Une fois rassuré, il se gavait de satisfaction, il retrouvait la place qu'il avait toujours occupée, bien au chaud, dans mon ventre de prêtre. Mon corps entier reprenait l'identité que je lui avais attachée au fil des années et il était heureux de la retrouver. Un bonheur fabriqué et frileux, mais bonheur quand même. J'entendais respirer Dieu à nouveau au bout du fil. Assez fort pour m'aider à tenir le coup pour un bout.

Ma glissade hors piste dans la neige fraîche s'était terminée par une embardée dans une clôture. Je me suis dépris, relevé et déneigé sans me rendre compte que ma chute avait laissé des traces. Marie-Christine s'en était allée, j'assumais le vide créé, regardais devant, la tête haute, alors qu'un doute s'était formé dans mon cerveau tel une tumeur naissante. Est-ce que je dois rayer de ma carte le parcours merveilleux de mon dernier été, me suis-je demandé. Si j'ai été infidèle à Dieu, pourquoi ai-je vécu cet amour en paix ? Dieu joue-t-il double jeu avec moi ? M'aime-t-il mieux fidèle ou infidèle ? Cela lui est-il indifférent ? Branchez-vous, Bon Dieu !

Moi, je me suis branché. Je me suis remis à la pastorale, m'abandonnant totalement à ce que l'avenir m'offrirait, cette fois-ci pleinement conscient de l'ampleur du sacrifice. Il fallait désormais que l'offre de Dieu soit à la hauteur de mon renoncement, et que ma mission ne soit pas seulement celle d'un bon et beige petit prêtre, mais de quelqu'un qui pousse à bout sa destinée. Plus haut, toujours plus haut, pour transcender mon abandon de Marie-Christine ou pour acculer mon partenaire d'en Haut au pied du mur....

Tu veux m'avoir tout à toi ? Je vais t'en donner pour que ça en vaille la peine. Regarde-moi bien aller.

Une forme de chantage. Je ne pouvais pas carrément porter la responsabilité d'une rupture avec lui. J'avais peur. Sournoisement, je choisissais de le provoquer pour détériorer notre relation par la bande. J'étais tout mêlé et triste d'en être rendu là.

Ce qui fit qu'un bon matin de neige et de gris, plutôt que d'entrer à l'école, je me suis dirigé vers la gare d'autobus en face du collège, où j'avais l'habitude de me retirer seul pour recharger mes batteries et méditer. L'endroit idéal pour partir, ou se retrouver... J'étais mal en point. Je suis entré dans le terminus comme un chien entre dans sa niche pour lécher ses plaies. Je ne me confiais à personne. Pourtant mes collègues de travail, mes amis en fait, surtout Louise, m'auraient réconforté dans ma solitude, m'auraient conseillé. Quant à ma fratrie qui m'était si chère et que je visitais peu depuis que je marchais hors des sentiers, aurait-elle été en mesure de comprendre ? Pas sûr. Et un confrère curé ? Ça a toujours les oreilles et le cœur grands ouverts, non ?

De toute façon, je n'étais d'humeur à parler à personne. Peu de monde prenait l'autobus à cette heure-là. En face de la porte d'embarquement 18 pour New York se trouvait le long du mur une série de chaises avec mini télévision intégrée. Je préférais les jours d'affluence, mais on ne choisit pas ses jours de déprime. Je me suis assis à une chaise, j'ai actionné les boutons de la télé pour voir comment ça fonctionnait. Je ne voulais pas me distraire, je ne cherchais pas non plus à me débarrasser du fardeau qui m'écrasait. On aurait dit que je cherchais à couver ma désolation. J'étais là, un motton dans la gorge et le cœur gros comme un autobus, pour macérer béatement dans ma déconfiture.

Un itinérant apparut à l'autre bout, regarda dans ma direction et vint vers moi. Je voulais la paix. Je lui remis une pièce de monnaie. Il restait là, la main tendue, avec la pièce au milieu. Je le trouvais effronté. Je lui en donnai une autre. Il s'en alla.

Sa ténacité m'avait impressionné, alors que moi, j'étais là, mou comme un champignon cuit, à poiroter dans ma sauce. Je jetai un regard circulaire autour de moi. Un monsieur en costume foncé marchait vite, une mallette à la main ; une madame avec une grosse valise à roulettes s'engageait difficilement dans la porte 17 ; une jeune maman avec un bébé enveloppé sur son ventre cherchait la porte correspondant à son billet ; une autre courrait après son petit garçon. Tous des gens qui allaient quelque part. Et moi, je n'irais nulle part emmanché de même. Tout au plus dans le bac à vidanges que le préposé poussait en direction des toilettes. L'image de ma tête dépassant la poubelle me fit sourire.

J'allongeai mes jambes, qui jusque-là étaient crispées et regroupées sous ma chaise, j'étirai les bras et, à demi courbé, les coudes sur les genoux, j'ai réfléchi. Je n'avais pas d'affaire là. Je ne partais pas en voyage. Toujours embrumé mais moins abattu, je me levai et sortis. Il avait cessé de neiger. J'ai marché longtemps jusqu'à ce que toute tristesse soit diluée. Je suis entré chez moi, il faisait encore clair, je me suis couché, épuisé, et me suis levé le lendemain dynamisé par ma décision de longer davantage les marges pour donner un nouveau sens à ma mission.

Noël s'en venait. Il était hors de question pour moi de rentrer à la maison familiale et de célébrer la fête du petit Jésus en me tapant les becs de joyeux Noël, la bombance du réveillon et l'orgie de cadeaux dont on n'a pas besoin. J'en avais plein mon casque de ce conformisme. Fallait que ça change.

Je partageais alors un logement avec des confrères, tous des curés bien sympathiques et bien de leur temps. Avec une ouverture d'esprit comme la leur, ils seraient certainement prêts à ce que je jazze un peu leur temps des Fêtes, pensais-je. Je me suis donc offert pour aménager la crèche de Noël. Ils me donnèrent leur bénédiction. Au lieu de monter ma crèche au pied de l'arbre — ça faisait trop traditionnel —, je l'ai placée à l'autre bout de la pièce. Mon installation comprenait un enjoliveur de roue, un bâton de ski, un plat de fruits, des petits oiseaux en plastique et un vieux chapeau de paille. Tous ces agrès étaient fixés sur un panneau de planches de bois de grange. Et dire comment mon cerveau devait être boursouflé en ces temps de réjouissance, j'étais très étonné de voir que mes confrères ne saisissaient pas le rapport entre mon œuvre et l'incarnation du Dieu-vivant dans le monde. Pourtant, c'était évident : le Dieu vivant, c'était les fruits dans le chapeau de paille, les petits oiseaux symbolisaient les anges, le cap de roue, le monde de la consommation, et le bâton de ski, la société des plaisirs!

Tout ce labeur pour finalement ne pas réveillonner avec mes colocs religieux, ni assister à la messe minuit, ni même me recueillir au pied de ma crèche pendant que la moitié de la planète était en attente de la délivrance de Marie, la mère de Dieu. Non, merci ! Je me considérais toujours comme un bon prêtre catholique, fidèle à son Dieu, à son Fils et à sa mère. N'est-il pas vrai que Marie et Joseph n'avaient pas réveillonné cette nuit-là, qu'ils n'avaient pas eu de cadeaux — l'or, l'encens et la myrrhe, on leur a offert plus tard —, qu'on leur avait refusé l'hébergement dans les hôtels du coin, et que la Marie avait failli accoucher dans la rue ? Alors, c'est dans la rue que j'allais fêter Noël. Tout seul ? Non... Je ferais des rencontres : des itinérants, des chiens, des fêtards. Je serais anonyme, le dernier des derniers. Je serais bien dans ma peau. Un berger, seul avec son troupeau.

Je suis sorti vers onze heures. J'allais gaiement, la nuit était claire et frisquette. Mon souffle chaud s'échappait en vapeur froide et joyeuse, j'allais... *Tu vas où comme ça, mon grand ? Tu ne sais pas que les itinérants, pour la plupart, les soirs de froid, dorment bien au chaud dans des maisons pour eux, et ceux qui couchent dans les entrées, tu ne leur verras même pas le bout du nez. Jamais je ne croirai que tu penses contacter des fêtards, tu es vraiment sauté. Les chiens, peut-être, on ne sait jamais, un chien gelé mort sur un banc de neige. Rentre chez toi. Qu'est-ce que tu cherches ? Tu ne vas nulle part. Tu fuis quelque chose.*

J'empruntai la rue des commerces. Pas un chat sur les trottoirs. J'allais sans savoir où, mais j'allais bien. À minuit j'entendis les cloches d'une église sonner. La nostalgie me prit tout d'un coup. Le minuit de Noël, ce n'est pas n'importe quel minuit. C'est le minuit chrétien. Je regrettais un peu mon évasion. Mais ce n'était pas une volée de cloches qui allait me faire reculer ! Je me suis aventuré sur une rue résidentielle que je ne connaissais pas. Ça fêtait dans les maisons. Je suis devenu triste. J'ai tourné en rond. Je gelais. Je ne servais à rien. C'était pathétique. Il ne me restait plus qu'à rentrer à la bergerie. Sans moutons.

Le lendemain au déjeuner, j'aurais dû fermer ma grande gueule. Mais non, je me suis vanté aux confrères de ne pas avoir fêté la Noël comme tout le monde et d'avoir joué au clochard solitaire. Quelle démarche originale! Quelle aventure revigorante pour le corps, l'esprit et l'humilité! En fait, je digérais mal le contrecoup de ma sortie buissonnière. Le promeneur solitaire ressentit un immense besoin de voir du monde, des gens qu'il aimait. Je me suis permis un congé dans ma famille à l'occasion du Jour de l'An. Un bain de parenté qui m'a fait grand bien. J'avais beau dire et beau faire, j'étais toujours et encore le garçon, le frère, le cousin, le neveu de l'un ou de l'autre. Parmi eux, je retrouvais l'enfant qui s'amusait avec ses frères sur la patinoire, celui qui avait une sœur pour lui apprendre à danser et une tante tendre pour le chouchouter, qui s'émerveillait devant les combines de son oncle qui gagnait toujours aux cartes. Le fils prodigue de son papa, qui lui avait montré à aimer le monde avec chaleur, et de sa maman, la femme de sa vie, avec qui il entrait souvent en conflit.

Le dernier jour de mon congé, j'épluchais les patates avec ma mère quand elle se mit à me raconter comment ses GMC et elle avaient discuté fort de l'occasion de distribuer des paniers de Noël dans leur village. Serait-ce une bonne chose ou non, dans une petite place où tout le monde se connaissait? Ne serait-ce pas humiliant pour certains? Serait-ce bien perçu par la communauté? Et qu'est-ce qu'on mettrait dans les paniers? Qui en recevrait? D'où viendraient les fonds à un moment de l'année où les portefeuilles s'amincissent à vue d'œil? Pendant qu'elle m'exposait son point de vue, je me sentais tout drôle. Je n'arrivais pas à la prendre au sérieux et à échanger d'égal à égal. J'étais loin d'elle. Pour moi, ma mère était une bourgeoise qui se faisait une fierté d'aider les pauvres, alors que j'étais passé carrément de leur bord et m'en étais fait une profession. Elle devenait ma compétitrice.

Étais-je jaloux ou mesquin ? Ne me renvoyait-elle pas ma propre image de petit bourgeois qui pose, de haut, un regard sévère sur la société ? Peut-être voulait-elle, de cette façon, se rapprocher de moi ?

J'ai quitté la maison chagriné de me séparer de ma famille, que je délaissais pour d'autres proches. J'aurais aimé prolonger mon séjour, sauf que mes amis du comité de pastorale du collège m'attendaient pour notre réunion hebdomadaire. Comme à toutes autres semaines, nous prendrions un repas ensemble pour faire le point. Point d'interrogation la plupart du temps, car nous n'étions sûrs de rien. Point d'exclamation quand nous échangions sur nos expériences farfelues respectives. Point de suspension quand il était question de l'avenir de la pauvre Église de notre pays. Point final quand nous déciderions de saborder notre navire.

Je ne pouvais me permettre de rater la première réunion de l'année. Vu l'importance de la Commission Dumont mise en place pour étudier la place des laïcs dans l'Église du Québec, nous avions décidé de rédiger ensemble un rapport et de le transmettre à la Commission. Nous avions le sentiment de participer à la reconstruction du catholicisme en Amérique, ni plus ni moins ! Notre diagnostic était clair : l'Église souffrait d'une maladie de cœur : il était fini, vite une transplantation ! Et des poumons neufs, tant qu'à y être — elle avait le souffle court. Durant la dernière décennie, le peuple s'était grandement laïcisé, mais pas les institutions : les évêques s'imposaient toujours sur la place publique et les élus craignaient encore de déranger les mentalités résistantes au changement. C'est pourquoi toutes les écoles, du primaire au collégial, avaient conservé leur équipe de pastorale catholique. En fin de compte, Réal, Louis-Pierre, Louise et moi étions rémunérés par l'État pour accomplir un travail d'Église. Mais nous étions des mutins, et la façon dont nous nous acquittions de notre tâche n'avait rien de religieux.

Réal avait mis toutes ses énergies à fonder une auberge à la campagne pour que les étudiants puissent s'évader de la ville. Louis-Pierre avait, de son bord, fondé une auberge en ville pour les étudiants de la campagne. Louise faisait un travail semblable au mien, elle démocratisait l'amour de Dieu. Si l'Église locale voulait entretenir la foi de ses ouailles estudiantines et leur offrir des services, c'était à elle de dépêcher du monde pour le faire et de les payer. Exit le service de pastorale du cégep du bas de la ville ! La proposition de nous saborder venait de moi.

Le mois suivant le dépôt du rapport, nous signions en bloc notre lettre de démission, effective en juin. Les autorités du collège ne demandaient pas mieux que de transférer les argents de nos salaires et de nos budgets à d'autres postes plus économiquement utiles. Ils n'ont rien fait pour nous retenir, encore moins fêté notre départ ! Réal et Louis-Pierre se virent offrir les postes de tenancier dans leur propre auberge, et Louise et moi prîmes la porte. Louise devint recherchiste dans les médias. Et moi, comme mon bateau mouillait dans le port étudiant depuis trois ans, je n'avais pas l'intention d'aller sécher ailleurs. Je décidai de m'inscrire officiellement à plein temps dans mon collège.

Entre ma dernière journée d'animateur et ma première journée de bon élève s'étalait une période de vacances qui me donnerait l'occasion de réaliser un rêve que je caressais depuis le début du printemps : une retraite dans le désert. Histoire d'expérimenter le dénuement total et le vide en plénitude avant d'entamer une autre tranche de ma vie. Christiane, une religieuse avisée d'âge mûr, était la guide toute désignée. Depuis un an, je la visitais régulièrement pour un réalignement de ma trajectoire. J'en ressortais léger et réorienté, prêt à reprendre ma route étroite. Elle représentait mon unique lien avec l'Église catholique.

C'était au temps où Raoul Duguay s'exhibait au bar Chez Dieu dans le Vieux Montréal avec son Infonie et proclamait : « Tout est en toutte ! Tout est au boutte ! » Je voulais voir ce qu'il y avait au boutte de toutte. Mais des déserts, il n'en pleut pas dans la vallée du Saint-Laurent.

Fallait oublier ceux d'Arabie, de l'Égypte ou du Maroc. Ceux du Texas et de Californie étaient davantage à ma portée, mais j'avais peur des serpents. J'ai rapetissé mon projet et suivi le conseil de ma coach d'entreprendre un séjour solitaire en forêt laurentienne, où elle pourrait me visiter périodiquement pour m'assister dans ma quête. J'obtiendrais le même résultat avec moins de risque pour ma santé mentale.

Je me suis donc installé sous tente dans une érablière sur les versants du mont Oscar, loin des bruits d'humains et des odeurs de ville. Mon désert dura un mois. Je sortis de là sur mes deux pattes, la tête propre et le corps crotté, très heureux d'avoir réalisé qu'au boutte, il n'y avait rien d'autre que ma curieuse personne qui se cherche.

Le Potier

J'avais décidé de devenir potier. Ainsi, en septembre, j'ai entamé le programme de céramique offert par le Cégep du Vieux Montréal. Josianne — celle qui tripait sur l'eucharistie — étudiait dans cette spécialité et m'avait encouragé vivement à m'y engager. La poterie de grès trônait dans les cuisines à cette époque, plus souvent que le crucifix.

Du jour au lendemain, je me suis donc retrouvé à pétrir de la glaise. J'avais chaud et mal d'un bout à l'autre de mes deux bras. Un jour, l'étudiante à côté de moi prit subitement sa boule de terre et s'en alla plus loin la malaxer. Et le lendemain, même scénario, avec quelqu'un d'autre. Maintenant que j'étais l'un des leurs, ils me fuyaient ? Je ne comprenais pas pourquoi, moi qui avais justement choisi des ateliers où l'accueil était d'ordinaire formidable ! Au cours suivant, je suais à tour de bras à côté de Josianne quand elle s'est penchée vers moi et m'a soufflé à l'oreille : « Est-ce que tu te mets du déodorant ? » Je n'avais jamais utilisé ce truc. Moi qui m'étais donné comme mission de sentir le Bon Dieu, je sentais le diable.

Je n'étais pas parfaitement à l'aise dans mon nouveau costume d'étudiant. Celui de flâneur m'allait mieux. J'avais la chance de pratiquer un des plus vieux et des plus nobles métiers du monde, j'aurais dû savourer ces moments de retrouvailles avec mes talents naturels ! Je ne savais plus si mes mains devaient bénir ou pétrir la boule sur le tour. Et je ne parvenais pas à me débarrasser de cette impression d'être l'intrus dans la salle. Cela m'empêchait de me concentrer entièrement sur mes créations. Les pièces de mes copains et copines, comparativement aux miennes, avaient toujours un petit quelque chose de plus authentique, de plus artistique.

Que mon intégration se passe de façon un peu cahoteuse m'étonnait, surtout que je jouais parfaitement le rôle de l'étudiant, de la fréquentation des cours à la recherche d'une job et d'un logement à bas prix. Juste avant la rentrée, j'ai dû quitter ma chambre dans l'appartement que je partageais depuis deux ans avec mes curés : trois d'entre eux sont tombés en amour et ne se sont pas relevés, deux ont perdu la foi et moi, j'ai repris ma route, seul.

Comme j'avais quitté mon emploi de plein gré, je n'avais pas le droit à l'assurance-chômage. Il n'était pas question que je demande de l'aide à ma communauté religieuse : je ne voulais ni en dépendre ni être lié à cette institution dans laquelle je ne me reconnaissais plus. J'avais déniché une job à temps partiel dans un atelier de céramique où des dames et des messieurs s'appliquaient à décorer et à glacer des pièces déjà cuites. J'avais la tâche de cuire ces pièces avant leur décoration. Au salaire minimum de un dollar et demi de l'heure, le travail d'une journée par semaine suffisait pour me nourrir. J'étais gras dur.

Tout jeune, j'étais déjà économe. Quand j'étais pensionnaire au collège, mon père me donnait cinquante cennes par semaine. À quatorze ans, presque tous mes copains fumaient. Avec mon allocation, j'aurais pu m'acheter un paquet de cigarettes, mais je me refusais ce plaisir. Ma mère, une économe de première classe, m'avait transmis le gène du tu-peux-t'en-passer. Tu peux te passer de petits plaisirs douteux de la vie pour d'autres plus nobles. Se trouver une place pour dormir, par exemple.

Pour se loger dans une maison de chambre, il en coûtait quinze piastres par semaine. C'était un peu cher pour mes moyens. À force de chercher, j'en ai trouvé une, chez la tante de l'ami d'un ami, à huit dollars. Je capotais. J'étais le locataire qui payait le moins cher en ville pour se loger. Avec le peu d'argent que j'avais mis de côté du temps où je travaillais au cégep, je pouvais me payer un bon bout de temps de loyer. Il fallait voir la chambre : de la dimension d'une grande garde-robe, deux mètres sur cinq. Couché sur mes deux matelas superposés, mes cheveux frôlaient le mur à un bout et mes pieds touchaient l'autre. Une table à café longeait la pièce jusqu'à l'évier et, en face, un coffre de métal me servait de garde-robe et de siège. Le mini frigo se trouvait sur le comptoir. Et la salle de bain, dans le couloir, je la partageais avec le jeune couple du logis d'en arrière et ce cher vieux John qui occupait la chambre en face de mon palace. Un *mini-home* parfait pour loger mon personnage.

Small is Beautiful. Ce livre de Fritz Schumacher m'avait tellement accroché, du temps de mes études dans les vieux pays, que j'en avais fait mon livre de chevet. Dans son ouvrage, il contestait le grossissement illimité des entreprises, qui devenaient par le fait même plus inhumaines, plus destructrices des richesses naturelles et génératrices de pauvreté. Il défendait les PME. Et moi, les petites chambres.

Indigné par les apparats criants et démodés des membres du clergé, et par leur accointance avec les riches et puissants, je mis mon austérité volontaire au service de Dieu, comptant rouler solo sur mon tandem : amour et pauvreté.

Une rencontre fortuite avec l'un de mes anciens confrères a failli faire dérailler mon projet. Nous étions heureux de nous revoir et de faire le plein de nouvelles. Depuis qu'il avait quitté l'appartement, il avait dirigé ses pas vers le droit et moi, sur la voie tracée par François d'Assise. Tel un vantard qui s'enrobe d'humilité, je lui glissai au passage que je logeais dans la plus petite chambre en ville, me contentant d'un minuscule budget.

— L'Église d'aujourd'hui a bien besoin de témoignages de pauvreté, ne trouves-tu pas ? ajoutais-je.

Je m'attendais à un soutien amical de sa part. Il devint songeur. Après un moment de silence, il me demanda :

— Toi qui connais bien l'Évangile, quel est le plus important : l'amour ou la pauvreté ?

La question à cent piasses d'un ami qui vous veut du bien ! Est pris qui croyait prendre... C'était bien beau marcher sur les traces de François d'Assise, encore fallait-il avoir aux pieds les sandales de Jésus.

Mais ces sandales-là étaient bien difficiles à porter jour après jour. Le Fils avait été pas mal plus dans l'action sociale que le Père. Devais-je m'engager davantage dans l'action politique et sociale ?

Au fait, comment se serait-il comporté en ces années où je brandissais mon poing timide ? Aurait-il encouragé les marxistes-léninistes, les trotskistes, les maoïstes dans leur lutte contre le capitalisme ? Aurait-il participé à la manifestation organisée pour dénoncer l'emprisonnement des trois chefs syndicaux en 1972 ? Aurait-il été un lecteur de la revue *Parti pris* ? Et du mouvement indépendantiste, qu'en aurait-il pensé ? Aurait-il souri en voyant danser les disciples de Krishna sur la place du métro ? Aurait-il été du nombre des quarante pour cent de catholiques qui fréquentaient encore l'église le dimanche ? Aurait-il applaudi à la naissance du mouvement charismatique et assisté à leur messe du mercredi soir ? Se serait-il joint aux petites cellules de chrétiens socialistes qui se réclamaient de la théologie de la libération développée par Gustavo Gutiérrez et d'autres prêtres péruviens ? On ne sait pas. Devant tous ces phénomènes, Jésus aurait peut-être froncé les sourcils, puis souri et tout simplement répété qu'il était venu pour que les sourds entendent et que les aveugles voient. Et il aurait continué son petit bonhomme de chemin en suscitant l'inquiétude et le doute dans la tête des humains.

Personnellement, je ne cherchais à m'intégrer dans aucun groupe de luttes sociales, aucun parti politique, aucun mouvement spirituel. Mon costume de témoin me suffisait, celui de lutteur ne me seyait pas. Je ramais toujours et encore, seul dans ma chaloupe traînant ma bouteille à message. Semant le doute.

À la fin de mes trois années d'apprentissage, j'étais un tourneur honnête, je possédais les rudiments de la composition des argiles et des glaçures, et je maîtrisais les notions de base pour la construction d'un four, qu'il soit électrique ou au gaz. Je me suis joint à un petit groupe de finissants de ma promotion qui voulait fonder une commune financée par le programme Perspectives Jeunesse. Avec les fonds de l'État providence, nous projetions de faire équipe pour produire des pièces et offrir des cours de modelage aux gens de la place où nous nous établirions. Chercher un lieu où loger sept personnes, avec des bâtiments attenants pour les ateliers, ne fut pas chose facile. Quel hasard, nous en avons déniché un aux portes du village de mon enfance...

Sur ces entrefaites, j'appris que mon père allait se débarrasser de sa vielle Econoline. Pour nous, c'était une aubaine : il nous fallait un véhicule pour le transport de l'argile, des tours, des matières premières, des briques et des tablettes pour le four. La mécanique était encore bonne, la carrosserie dégringolait de partout, le réservoir à essence coulait, les portes de derrière étaient tellement délabrées qu'elles faisaient un bruit d'enfer, l'ancrage de l'amortisseur de droite était défoncé, la fermeture des portes de côté était rouillée et toute déglinguée, et les deux petites manettes de l'embrayage se coinçaient de temps en temps. Rien à reprocher aux quatre roues. On était en voiture!

Je me mis à l'œuvre. Il n'était pas question de remplacer les pièces usées par des neuves, je devais trouver du matériel d'occasion et inventer des façons de les ajuster. Au bout d'une semaine, le véhicule était parfaitement fonctionnel, sauf la porte arrière qui avait cédé sa place à un panneau de contre-plaqué au bas duquel le tuyau de remplissage d'essence se montrait le bout du nez. Repeint en neuf au pinceau de soie, notre bijou de camion semblait content d'offrir ses services à nouveau. Sauf que mon père n'était pas du tout fier que son grand garçon prêtre circule sur la grande rue avec un derrière de truck emmanché de même. D'ailleurs, était-il encore fier de moi, tout court?

J'avais beau soutenir que ce n'est pas la blancheur des mains qui fait le moine et que ma présence auprès des artisans avait du bon sens pour eux et pour moi, dans mon quotidien de carrossier, couché sous le camion, je me suis moi-même demandé plus d'une fois : qu'est-ce que je fous là? Ma méditation du matin à l'aide de paroles mordantes et stimulantes de Jésus, il est vrai, chassait mes doutes, mais j'avais le souffle court.

Une grande bouffée d'oxygène m'a été lancée le jour où des trisomiques et d'autres jeunes adultes au cerveau blessé ont mis les pieds dans notre atelier. L'Atelier-Protégé, un organisme fondé par mon père et ma mère, favorisait l'insertion sociale et professionnelle des personnes handicapées. En d'autres mots, on voulait les décoller de leur chaise berçante et leur faire découvrir d'autres horizons que ceux encadrés par les fenêtres de leur maison. Pour ce faire, les employés de l'Atelier-Protégé organisaient tous les jours des activités dans un centre où les jeunes pouvaient exécuter des tâches simples et à leur mesure.

Qui a le bonheur de côtoyer ceux dits « simples d'esprit » avec ouverture de cœur n'approche plus la nature humaine de la même façon. Nous avions le bonheur de faire partie de leur nouvel environnement une journée par semaine. Bob, Christina, Denis... Le simple fait de me remémorer leur nom et me rappeler leur visage me procure de la joie.

Justement, Bob, notre grand Bob, un anglophone qui savait juste dire *ya-ya, ya-ya*... Pourtant, il arrivait à se faire comprendre autant que tous les zigs descendant des singes! Et puis Christina, qui tendait toujours une fleur au premier qu'elle croisait en sortant de l'autobus. Ses yeux étaient tellement lumineux que c'était gênant de la regarder en face. En tout cas, ce l'était pour moi : elle donnait spontanément cet amour que je peinais à recevoir avec simplicité. J'avais tant à apprendre d'elle!

Ils étaient une douzaine à nous réclamer attention et affection pendant huit heures d'affilée. Les deux pauses de la journée étaient les bienvenues. Denis, un vrai petit diable — Dieu qu'il était tannant —, se garrochait sur le tourne-disque pour démarrer la musique à l'heure des pauses et se mettait à danser avec grand sérieux en regardant tout autour à travers ses lunettes à vitres épaisses. Habituellement, à la pause, on boit, on se repose, on mange. Eux dansaient. Certains turlutaient l'air de la musique, d'autres entraient quasiment en transe, tous étaient bien ancrés dans le moment présent. Comment peut-on ne pas se laisser entraîner par eux? On entre en transe aussi. On oublie tout. Et le quinze minutes de pause vaut une heure d'acuponcture.

Quand j'y pense, leurs corps dansants, vivants, m'invitent encore à me grouiller le derrière. Et leurs yeux riches de lumière et de vérité me poursuivent pour me rappeler que j'ai manqué le bateau... L'Atelier-Protégé avait ouvert un poste d'animateur. Une aubaine pour moi qui cherchais à remettre de la chair sur l'os de ma Cause, avec de belles personnes qui m'auraient ramené tous les jours à l'essentiel. Dieu m'y voulait peut-être. Je ne le saurai jamais. Je l'attendais ailleurs, du moins pas là.

Une fois le projet financé par Perspectives Jeunesse terminé, mes amis potiers et potières ont décidé de rester sur les lieux et tenter de vivre de leur métier en vendant des pièces sur le marché local. Dans ma tête timide et frileuse flottait toujours l'idée que je n'étais pas à ma place. Je ne me voyais pas passer ma vie à tourner des pots pour les vendre au monde qui les achetait pour les embarrer dans leur vaisselier. Certaines de mes œuvres ont effectivement fini leurs jours dans des cages vitrées. Chez ces amis de mes parents, par exemple, où j'avais été invité à souper. Quelle joie aurais-je éprouvée si j'avais pu y apercevoir sur la table dressée le service de vaisselle que j'avais eu tant de mal à achever et dont j'étais si fier! « Je n'ose pas me servir du vôtre, me dit la femme, il est tellement beau! J'ai peur de le briser. » Si en fin de compte ce que mes mains produisaient ne servait à rien, je servais à quoi, moi? Au diable la poterie! J'aimais mieux me sauver.

Le Prodigue

J'avais besoin de prendre un temps de recul, comme le conjoint qui ne sait plus trop si son couple va tenir le coup, mais qui croit que tout n'est pas fini. Le hasard n'a pas eu besoin de souffler bien fort pour raviver les braises. Aimé, un ami potier que j'avais rencontré au cégep, m'avait appelé pour m'inviter à l'aider à construire son four. Toutefois, la commune où il habitait ne m'attirait pas particulièrement. Elle abritait une gang de flyés religieux regroupés sous la bonne gérance d'un jeune gourou ayant reçu un appel de Dieu pour fonder une communauté religieuse. Aimé s'y était réfugié pour sauver sa peau, son âme et son si beau métier. J'ai vu là des femmes, des hommes, des enfants, des bébés, des femmes enceintes, des mines réjouies et en santé... Provenant de tous les coins du pays, ils étaient une quarantaine à avoir abouti à la Maison d'Or, qui tirait son nom des Litanies de la Sainte Vierge : c'est ainsi qu'on invoquait la mère de Jésus, en la suppliant de « prier pour nous ».

Le quotidien de la maison était calqué sur celui des moines et moinesses, mis à part le silence et le sexe permis pour les couples mariés. C'était une façon moderne de consacrer sa vie à Dieu et aux autres, et à manger de la citrouille, car pendant cette semaine d'automne passée à assembler des briques et ajuster des brûleurs à gaz, trois fois par jour j'ai mangé de la citrouille, en confiture, en compote, en ketchup, en cubes, en limonade, et en vérité, en vérité, je vous le dis, Jésus lui-même n'aurait pas toléré un tel régime.

Pour un curé *outsider* comme moi, encore officiellement catholique, une telle tentative de renouveler la vie religieuse m'apparaissait louable. Elle était faite sur mesure pour les jeunes poqués, flyés, excessifs et illuminés, bref ceux que la Grande Église laissait derrière. Il se dégageait de tout ce beau monde converti une étonnante fraîcheur et une odeur d'humanité qui ne se sentait pratiquement plus chez les communautés religieuses classiques enrobées et encapuchonnées. Je n'y suis resté que sept jours, à aider mon ami ; c'était assez pour que je garde en ma mémoire plein de belles images attachantes. Aimé semblait heureux là, dans son petit monde fermé.

En revenant dans ma commune d'artisans où j'avais encore domicile, j'ai remarqué que les mines étaient tout aussi réjouies et en santé qu'à la Maison d'Or. Nous n'avions pas besoin de parfum religieux pour conditionner notre air. J'étais super content de retrouver mes confitures aux fraises et mon sirop d'érable. J'y retrouvais aussi des souliers mal ajustés à mes pieds. C'était écrit dans le ciel : si je persistais à avancer chausser de même, j'allais me perdre. J'ai préféré repartir pieds nus, en recherche d'emploi, toujours pour la Cause, pour ma cause. Ainsi va la vie de ceux qui ont vendu leur âme à Dieu.

La grande cause m'avait conduit à maints culs-de-sac. J'étais las de me remettre en question et de recommencer. Avais-je donc épuisé ce que Dieu avait déboursé en échange de mon âme ? Je me retrouvais itinérant encore une fois. Je la trouvais moins drôle ! Allais-je reprendre la route indéfiniment ? Dans mon réservoir, le niveau de motivation était bas. J'avais délaissé la mer étudiante. Je venais de quitter la terre. Que me restait-il pour poser le pied ? Les nuages ? Je n'en avais aucune idée. J'étais sûr d'une chose : je voulais vivre. Je tenais à gagner l'amour des autres en partageant avec eux ce que je portais encore des traces de l'amour de Dieu. Je les avais affichées depuis la visite aux deux vieilles communiantes qui ne faisaient pas de péchés jusqu'à mon séjour bienheureux chez les jeunes flyés cathos mangeurs de citrouille, en passant par toutes les fois où je m'étais offert pour aimer, donner et recevoir...

Étais-je fatigué de donner ? Pouvait-on parler d'épuisement professionnel dans mon métier ? À force de me retrouver devant rien, ma confiance en mon guide suprême avait pâli. Je lui en demandais trop peut-être. Peut-on perdre la foi ? Ou s'en libérer ? Dieu peut-il se distancer à tout jamais ? Je ne le sentais plus beaucoup, j'avais accaparé tout le crédit de ma mission. Alors que j'avais voulu incarner une image de

Dieu, je m'étais plutôt servi d'elle pour donner une forme et une vitalité à la mienne. Jésus avait appelé ses disciples en leur disant : « Viens, suis-moi ! » J'avais monté ma petite entreprise dont j'étais devenu le maître. « Viens, suis-moi ! » que je lui disais. Mon stratagème fuyait de partout.

Les autres fois où je m'étais foutu à la porte de moi-même, je repartais gaiement. Mais pas en ce jour d'automne où le temps était maussade. Il ventait, et même quelques flocons de neige commençaient à tomber. On n'est jamais préparé à la première neige. Mes parents non plus n'étaient pas préparés à ma venue.

Il me fallait manger et boire. Un homme a beau être majeur, vacciné, émancipé, flyé, cassé, voire dopé, s'il est prêtre du Bon Dieu, sa mère lui ouvrira sa porte, ses bras, son cœur, à toute heure du jour et de la nuit. Bien plus, elle enverra le père à l'épicerie et lui préparera les petits plats qu'il aime. Jamais elle n'avouera qu'il est son préféré. Officiellement, elle aime tous ses enfants également. Mais son grand qui s'est fait tatouer une auréole sur le cerveau, elle en prendra bien soin.

Quand je me suis pointé à la maison de mes parents, ils étaient sortis. Puisque je connaissais l'endroit où ils cachaient la clé, j'ai pu entrer et m'installer pour les attendre. D'habitude, quand je me présentais chez eux à l'improviste, c'était pour leur faire une surprise. Je me prenais pour un cadeau. Pas ce jour-là. Je savais qu'ils s'inquiétaient pour mon avenir. Je n'étais plus le fier et docile prêtre, tout beau tout propre et fraîchement huilé par monseigneur l'évêque, qui les avait bénis au pied de l'autel. Ma barbe, mes cheveux et ma tenue ne garantissaient rien d'honorable. Et mes activités ne ressemblaient en rien au travail d'un prêtre normal. *Il va où comme ça, notre grand?* Il n'allait pas bien loin en ce jour de déprime. Toutefois je n'avais pas à leur faire partager le poids de mes questionnements.

Malgré mon état, ils semblèrent réellement heureux de me voir là lorsqu'ils entrèrent. Mon père n'a pas dérogé de sa chaleur enveloppante habituelle. Ma mère, contrairement à son habitude de m'appeler fièrement *son fils*, m'a accueilli par mon prénom en m'embrassant de façon plus affectueuse que de coutume. Je crois qu'elle avait commencé à insister sur notre relation mère-fils le jour où je suis devenu prêtre. Je lui reprochais de faire du pouce sur mon nouvel état social. Elle avait beau avoir obtenu ce qu'elle voulait, c'est moi qui m'étais hissé jusque-là. Je ne digérais pas non plus qu'elle soit venue jouer dans ma cour, avec sa gang de GMC. Elle pouvait aller se rhabiller, mes actions chrétiennes seraient toujours plus chrétiennes que les siennes...

Monsieur le prêtre se faisait accroire qu'il portait son statut avec plus d'humilité que sa propre mère ; au fond, elle lui reflétait sa propre image. Il n'aimait pas se voir ainsi.

Et voilà que ce jour où je débarque chez elle à l'improviste, elle descend de son trône pour m'accueillir alors que je suis au plus bas, en posant longuement sur moi ses beaux yeux bleus, comme si elle devinait quelque chose. J'en fus touché. Elle brisait le miroir. J'ai entrouvert ma porte à sa tendresse, cette fois très sincère. Je ne pouvais m'imaginer qu'elle s'ouvrirait toute grande les jours suivants.

Ma mère était une battante, et voilà qu'à soixante-cinq ans, après avoir laissé sa place d'administratrice de l'Atelier-Protégé, elle avait décidé de se lancer en politique municipale. Son audace et sa détermination à vouloir réaliser son rêve de tâter de la politique m'ont ouvert les yeux. Je ne me souvenais pas qu'elle ait été tentée de s'impliquer en ce domaine auparavant. C'est vrai qu'elle avait toujours été très sensible à la question nationale. Ce qu'elle était belle à voir lorsqu'elle s'emballait en parlant de la reconnaissance de notre nation, notre langue, notre culture ! D'où tenait-elle cette ferveur ? Je ne sais pas. Mais elle était transportée dans ses envolées par cette même énergie qui lui avait permis de mettre sur pied toutes sortes de projets caritatifs, comme celui où de belles figures comme Bob pouvaient s'épanouir. Sur tous les plans, elle plaidait pour que chacun ait sa place au soleil.

Je n'ai jamais été fier de ma mère autant que durant sa campagne électorale. Non, ce n'est pas vrai. Il y a bien eu une autre fois. J'avais douze ans, elle en avait trente-neuf. Je circulais à bicyclette sur le trottoir, juste avant la voie ferrée, lorsque je vis de l'autre côté de la rue une femme tellement, tellement, tellement belle ! Je m'aperçus que c'était ma mère. Je me suis arrêté et, accoudé à mon bicycle, je suis resté figé à la contempler. Pendant de nombreuses années, lorsqu'on me demandait l'âge de ma mère, je répondais trente-neuf ans.

Ma mère préparait sa campagne comme une pro, j'en étais stupéfait. Avec un parcours tel que le mien, je ne me croyais d'aucune utilité pour elle, mais ce n'est pas ainsi qu'elle l'entendait. J'étais encore et toujours celui qui avait honoré la famille et qui, aux dernières nouvelles, ne l'avait pas encore tout à fait déshonorée. Et puis, j'avais fait de longues études : je devais bien savoir une chose ou deux sur la tournure du monde. Elle me faisait confiance et me demandait conseil sur le polissage de son programme, sur la façon d'entrer en contact avec les gens, et même sur le costume qu'elle allait porter le soir des élections.

Malgré mes réticences initiales, j'ai accepté de me mouiller et de sauter dans son bateau. Petit à petit, je suis devenu son attaché politique. Nous faisions du porte à porte tous les deux. Je n'avais même pas eu à tailler ma barbe et mes cheveux, bien les brosser suffisait. Nous avons bataillé ferme, nos forces s'additionnaient, la confiance entre nous opérait. J'épousais sa cause.

Ma mère croyait ferme en ses moyens, même si le défi était de taille : elle voulait ravir le poste de conseiller numéro trois détenu depuis douze ans par Roger Dubois, un commerçant influent. J'admirais cette femme, un sentiment que je n'avais pas éprouvé depuis longtemps envers elle. Elle ne voulait pas seulement gagner ses élections, mais battre un homme !

Mon père était tellement fier de sa femme qu'il s'était acheté un costume neuf pour le jour des élections. Ma fratrie avait apporté sa contribution dans les différents pôles de votation pour représenter leur candidate. Et elle a gagné ! Elle respirait la victoire et ne portait plus à terre. J'avais en face de moi une femme qui venait de réaliser un rêve qu'elle avait couvé dans son cœur toute sa vie de femme-mère.

Quant à moi, je n'avais pas de rôle à jouer dans l'actualisation de ce rêve. Je n'avais aucune idée de ce qui m'attendait. Aucun projet. Tout juste une sortie avec ma sœur Nicole, qui avait deux billets pour *Madame Butterfly*. Je ne demandais pas mieux que de mettre des activités à mon agenda.

Cette sortie à l'opéra m'a complètement viré à l'envers. Le célèbre air de Puccini où Butterfly chante son amour pour Pinkerton, un amour qui ne mène nulle part, elle le sait, mais qui est si puissant qu'il lui fait croire que Pinkerton reviendra, m'a fait décoller. Je n'ai jamais fait de voyage astral, je ne sais pas comment ça se passe, mais mon esprit me semblait détaché de mon corps et flotter au-dessus de la salle dans une autre dimension. Une jouissance d'un autre ordre que physique, difficile à expliquer. Une musique si douce me frapper si fort ! Ce fut un moment immensément plein de tendresse. Après, tout le reste de l'opéra m'est apparu terne.

Je suis sorti de là en manque d'affection. J'avais juste le goût de me faire bercer. Mon rapprochement de ma mère y était pour quelque chose. Mon jugement glacial sur elle ayant fondu, j'étais frais et dispos pour lui faire de la place en moi.

Pourquoi cette étrange montée de chaleur tendre n'a-t-elle pas eu un rapport avec Marie-Christine, la femme dont j'étais tellement amoureux que je projetais de passer ma vie avec elle ? Je n'en sais rien. Peut-être que la blessure que je m'étais infligée en la laissant partir avait guéri lentement. Je suis resté éveillé longtemps dans la chambre d'ami chez ma sœur, où j'ai dormi ce soir-là. Et le lendemain matin, ce n'était plus le cocon familial que j'avais en tête, mais le nid chaleureux de la Maison d'Or, où logeaient ces drôles d'oiseaux qui passaient leur temps à prier Dieu avec messes, chapelets et bondieuseries. La tentation de diriger mes pas vers ce couvent de poqués me harcelait. Me restait-il donc encore dans le corps du jus de missionnaire qui n'avait pas été pressé ? Je me donnais une dernière chance. J'avais été extrémiste à ma manière ; leur forme de pratique extrême avait peut-être des liens de parenté avec la mienne.

Le Ressuscité

J'étais attiré à la Maison d'Or par un aimant invisible, comme les limailles de fer se collent à une surface au-delà de laquelle se cache la force invisible qui les tient captives. Mes motivations étaient brumeuses.

Je suis descendu de l'autobus, à un kilomètre de la commune. Tout le long de la route parcourue à pied, je me tenais aux aguets. « Dieu ! Si tu m'attends ailleurs que dans cette communauté de croyants bizarres, envoie-moi un signe. Un signe du genre un pigeon qui me chie sur la tête, une auto qui me frappe, une bonne femme dans sa cour qui me demande de l'aide ou je ne sais trop quoi, le tonnerre qui me tombe dessus, ou carrément le téléphone rouge qui sonne ! » Mais rien. Plus j'avançais, plus je marchais lentement pour laisser le temps aux signes de se manifester. Toujours rien. Je suis arrivé là peu fier de moi.

Au premier repas, je me suis assis aux côtés de mon ami Aimé. Il me présenta aux personnes qui nous entouraient, sans plus. Tous étaient habitués à voir des faces nouvelles à la table. Nombreux étaient ceux qui avaient entendu la sonnerie d'en Haut et qui se payaient une petite saucette ici, histoire de communier avec leurs semblables. Que ce soit pour manger ou dormir, tout le monde était bienvenu à la Maison d'Or, où on s'enorgueillissait d'offrir un gîte pas comme les autres.

Une fois les assiettes vidées, Aimé m'amena visiter l'atelier de Georges, un sculpteur patenteux très connu en dehors de la commune. Ce gars-là avait une imagination féconde et débridée, et créait des architectures de bois d'une finesse rare. Bizarrement, il s'intégrait dans ses installations : il laissait toujours un siège et une ouverture dans l'œuvre pour y laisser apparaître sa grosse tête échevelée. Pourtant, il n'était pas fou. Enfin, oui, un peu. Je n'arrivais pas à comprendre qu'un sculpteur brillant comme lui se soit mis à croire tout d'un coup à ces vieux mystères catholiques et à en pratiquer sans broncher tous les rites plus ou moins dépassés. Il en était de même pour Aimé. Il n'avait pas d'affaire là. Il n'avait pas le profil du converti qui s'agrippe à sa bouée de peur de se noyer. Il avait un faible pour la Sainte Vierge, c'est vrai. De là à déménager pour pratiquer sa dévotion envers elle… Il aurait pu égrainer son chapelet chez lui.

La plupart de ceux qui vivaient là avaient décroché de la religion d'encens de leur enfance pour humer autre chose et boire des liquides sacrément plus forts que l'eau bénite. D'autres cherchaient une crèche pour lécher des plaies ouvertes par un passé difficile. Mais tous avaient reçu un appel interurbain un soir de bas-fond, de pont Jacques-Cartier ou de solitude extrême. Pas un simple coup de téléphone. Un coup de foudre! Un revirement total, une issue nouvelle, une lumière, une route, une personne qui comprend, qui efface tout et accompagne. Il est curieux ce phénomène de conversion subite que connaissent souvent ceux que la route a menés au bord du canyon. Ici, personne ne s'aventurait à parler de son passé, comme si leur vie avait commencé « le jour où ils s'étaient convertis au Seigneur », un leitmotiv à la mode dans la place.

Étais-je si différent d'eux? Dès que j'ai eu franchi le seuil de la Maison d'Or, j'ai voulu repartir à neuf moi aussi et je me suis débarrassé de mes costumes, mes titres et mes bottines. Tout nu dans la rue, il ne me restait que le souffle dans mes poumons, l'appétit dans ma panse, l'habileté dans mes mains, l'allant dans mes pieds et bien peu de foi et d'espérance. Je m'accrochais à une phrase écrite en petits caractères au bas de mon contrat.

Le jour où Béni, le gourou, a découvert qu'un prêtre se cachait sous son toit, il me fit venir à son bureau. Étaient également présents Arsène, un bon vieux monsieur le curé, et deux autres membres du « conseil fondateur » : Georges le sculpteur et Gérald, un danseur professionnel qui, par les soirs, faisaient des études pour devenir prêtre.

Béni croyait que je m'étais réfugié chez eux pour échapper à la justice. Sinon pourquoi me serais-je infiltré chez eux incognito? Je souris, je croyais qu'il blaguait. Eh bien, il poussa la farce jusqu'à exiger de voir mon *celebret*, cette carte d'identité datant d'une époque lointaine qu'on délivrait aux prêtres pour leur permettre de se présenter dans n'importe quelle paroisse ou monastère du monde et d'y célébrer la messe. Ces cartes avaient disparu depuis belle lurette... Je n'ai pu m'empêcher d'éclater de rire en lui disant : « Êtes-vous malade ? » Arsène ne fit ni une ni deux, et sortit de son portefeuille une petite carte blanche toute brunie, sur laquelle on pouvait encore déchiffrer : « Arsène Loiselle, prêtre, *celebret* ». Je me voyais catapulté dans un autre siècle. Gérald l'apprenti curé a renchéri en me proposant de demander une lettre à mon évêque. Ma parole ne leur suffisait pas. La situation était complètement ridicule. J'ai eu tout à coup l'idée de leur proposer que mon ami Aimé me serve d'*endosseur*. C'est bien le mot que j'ai employé. Le plus sérieusement du monde, ils l'ont convoqué. Sa parole a suffi à calmer les esprits.

Je me serais retrouvé devant des inspecteurs de police que je n'aurais pas été interrogé avec plus de gravité. Pourquoi ne pas accepter de célébrer la messe et d'entendre des confessions ? Il fallut que je fouille dans mes réserves pour trouver des réponses qui les satisfassent.

— Ne savez-vous pas, leur dis-je sur un ton solennel, que selon le code de droit canonique, à l'article 805 je crois (j'avais choisi ce numéro au hasard), un prêtre n'est tenu de célébrer la messe que quelques fois par an, lors des grandes fêtes, et c'est tout ?

Béni, Georges et Gérald regardèrent en direction d'Arsène, qui fit un signe affirmatif de la tête.

— Vous avez déjà un prêtre, ajoutais-je, vous n'en avez pas besoin de deux. Pour ce qui est du reste, ça me regarde. Il est dit aussi dans le code qu'un prêtre ne peut célébrer la messe quand il est en état de péché mortel. Peut-être est-ce mon cas ? Qui sait ? Dieu seul sonde les cœurs !

Je venais de leur clore le bec. Il fallait voir leur gueule... En sortant du bureau, Aimé me regarda d'un œil suspicieux.

— Se peut-il que mon ami ait des péchés mortels sur la conscience ?

Je me suis contenté de sourire à mon ami. Aimé ne m'a jamais reposé la question. C'est tant mieux, je n'aurais pas su quoi lui répondre.

Le Conseil Suprême était resté sur son appétit. Si je ne m'étais pas amené là pleins phares allumés, c'est que je ne voulais pas profiter de mon statut pour avoir d'office une place particulière dans la communauté. Au fond, je ne savais plus quoi faire avec mon statut, mes pouvoirs conférés par l'évêque et les rites rattachés à ma fonction. J'avais dégringolé les marches de l'autel jusqu'au plancher de l'état laïc.

Si je ne tenais plus à tremper mes doigts dans le bénitier, mes bras, eux, étaient appelés à servir. Pour entretenir l'imposante bâtisse où nous habitions et nourrir tout ce monde, chacun de nous avait un rôle à jouer. Chaque matin, cinq ou six d'entre nous déjeunaient tôt et prenaient l'autobus pour se rendre travailler en ville. Ils étaient les pourvoyeurs du groupe. D'autres allaient mendier auprès des boulangeries, supermarchés, boucheries et biscuiteries pour se faire refiler les produits périmés ou pour fouiller dans leur conteneur. Les pouces verts travaillaient aux champs, dans un immense jardin d'un acre environ, pour nous fournir en fruits et légumes. Les artisans s'adonnaient à leur métier. La plupart des œuvres créées dans les murs de la Maison d'Or étaient destinées à la vente, et les profits revenaient à la commune. Quant à moi, je m'étais remis à l'argile pour regarnir nos crédences et remplacer la vaisselle passablement ébréchée. Je n'étais peut-être pas un grand céramiste, mais je savais au moins me montrer utile.

Il régnait dans la commune un esprit et une éthique de collaboration surprenante. Nous étions tous cassés comme des clous, à l'abri des temples de la consommation, sans autre souci que de bien manier l'outil dans nos mains, de sourire à notre voisin ou voisine, de manger à notre faim, de dormir paisiblement et d'être à l'heure aux prières du jour, du soir et du matin. Une vie de communauté retrouvée et une forme de liberté qui me convenait en ce temps de ma vie.

Je me suis même remis à jouer, ce que ma vie professionnelle ne m'avait pas permis. Oh bonheur ! Une table de ping-pong trônait au milieu de la salle de repos. Après les repas du soir, j'étais l'homme à battre. Les poires se succédaient l'une après l'autre pour tenter de me rafler ma couronne. Et le midi, tant que la neige ne s'était pas installée pour de bon, nous jouions au volley-ball. Sur ces deux espaces de jeux, j'ai établi plus de contacts avec mes compagnons et compagnes que je n'en ai eus ailleurs en ce lieu.

Je me présentais aux exercices spirituels avec de bonnes dispositions, mais vite je m'évadais dans toutes sortes de pensées. J'évoluais en harmonie avec tous les membres de la communauté et me sentais chez nous dans toutes les pièces de la maison, sauf à la chapelle... Leurs pratiques intégristes ne me convenaient pas. Ce cher Béni ne m'impressionnait guère, alors que tous le respectaient comme s'il incarnait le prophète Élie redescendu du ciel sur son char de feu. Arsène était en retard d'un demi-siècle. Ce n'était pas la place pour être à l'écoute d'un Dieu jeune. Constat décevant pour une âme en quête d'air frais.

La partie n'était peut-être pas perdue. Durant un match serré de volley-ball, une lumière s'alluma dans le faîte de mon plafond. Me glisser dans les habits des autres, adapter mon comportement aux leurs, garder les oreilles et le cœur ouverts aux confidences : cela ressemblait étrangement au comportement que j'adoptais avec les étudiants du cégep du temps où j'étais en mission active... Une autre espèce de mission m'attendait-elle en ce lieu de belle humanité, inspirée du désir de Dieu de s'humaniser en Jésus, moi qui avais toujours cru que la foi devait s'incarner le plus possible ? La Maison d'Or possédait un très bon fond, il fallait tout simplement en dépoussiérer la forme. Je me suis surpris à rêver que je serais l'artisan du rajeunissement de cette communauté. J'étais tellement mieux équipé que l'orgueilleux Béni et le vieux Arsène dépassé ! Je manquais un peu de foi, c'est tout.

Pourquoi pas, si Dieu le veut ?

À la messe du mercredi des Cendres, agenouillé parmi les autres, j'ai eu ma réponse. Je les entendais réciter le *credo*, par lequel ils affirmaient leur foi en *Jésus le fils de Dieu, conçu du Saint-Esprit, né de la vierge Marie, ressuscité des morts et monté aux cieux*. Le verdict était sans appel : je ne croyais à rien de tout cela. J'y avais cru, jadis, Dieu m'y avait fait croire. En amour, s'il est un défaut difficile à supporter, c'est bien le mensonge. La foi en l'autre prend une sacrée débarque. C'est un cas de rupture. Les amants ne réussissent plus à dialoguer, à se faire confiance, à rire ensemble. C'était notre histoire, à Dieu et moi.

Je suis devenu triste tout d'un coup. Que de souvenirs ! Nous avions passé beaucoup de bon temps ensemble. Il m'avait motivé à faire des folies incroyables et passionnantes. On m'avait imposé Dieu quand j'étais jeune, je l'avais reçu et accepté parce qu'il était bon, puissant, aimant. Il me convenait. J'étais un faible qui avait besoin de force. D'un absolu qui me fasse tendre vers la bonté, la beauté, la justice. Mais en ce moment précis, j'entendais les autres prier, pleins d'assurance, et je me sentais vide.

Est-ce la nostalgie de Dieu qui m'a fait prolonger jusqu'à Pâques mon séjour chez ces poqués croyants ? Ou parce que j'avais du mal à me couper de tout ce beau monde ? C'est en eux que se logeait le mystère. C'est en leur amour fraternel que je croyais. Il faisait bon être là. À sa façon, Dieu y était. Dieu est mort, vive Dieu !

Personne n'avait prévu que le carême serait aussi rude cette année-là à la Maison d'Or. Un schisme se préparait au sein de la haute direction, je voulais assister à ça. Pour les chrétiens purs et durs, Pâques surpasse en importance la fête de Noël. Un enfant qui naît d'une mère pauvre dont la paternité est obscure, c'est plutôt banal. Mais qu'un homme ressuscite, ça tient du miracle ! Un certain Paul de Tarse avait dit : « Si Jésus n'est pas ressuscité, ce n'est pas la peine de croire en lui. » Normal donc que Pâques soit la plus grande fête chrétienne. On s'entend là-dessus. Mais Arsène et Béni ne s'entendaient pas, eux. Depuis quelques siècles, on mettait beaucoup l'accent sur la fête de Noël à cause sans doute du décor élaboré qui entourait la naissance du Christ et des nombreux détails que rapportaient les Évangiles. La liturgie ne s'en portait que mieux, avec la crèche et tout et tout. Et le fait que les prêtres célèbrent, cette nuit-là, trois messes de suite illustrait bien la grande popularité de la fête. En cinquante ans de prêtrise, Arsène s'était habitué à fêter l'anniversaire de naissance de Jésus en grande pompe, alors que la messe du dimanche de Pâques ne différait pas des autres messes solennelles de l'année.

Là où les deux hommes s'entendaient encore moins, c'était sur la façon de célébrer Pâques. Après le concile Vatican II, l'Église a modernisé sa liturgie. La célébration de Pâques ne se faisait plus en deux temps, le samedi matin et le dimanche matin, à la manière combo, comme avant. Elle avait lieu la nuit de samedi à dimanche et s'appelait *Veillée pascale*. Le jeune Béni, plus moderne par certains rares côtés, votait pour cette mono cérémonie de nuit où on fêtait tout ensemble le feu nouveau, la lumière, l'eau salvatrice, la parole et la messe de la résurrection. Le vieux Arsène, lui, tenait mordicus au rituel du samedi matin, beaucoup mieux scénarisé et mis en scène. La cérémonie durait près de deux heures, et c'était tout un spectacle.

À l'approche de la grande fête, la tension avait dû monter d'un cran entre les deux hommes, puisque nous en avions des échos dans la communauté. Vraisemblablement, Arsène ne figurait pas dans les plans d'avenir de Béni, qui le tolérait en attendant que Gérald soit prêt à gravir les marches de l'autel. « On va s'en élever un prêtre », disait le gourou. Il n'a pas attendu qu'il soit élevé. Incapable de supporter d'être contrarié plus longtemps, il a pogné les nerfs le soir du dimanche avant Pâques, a vite réuni son conseil et a foutu le vieux à la porte. La nouvelle s'est vite répandue. Mais qui donc allait dire la messe et entendre les confessions ? Mon nom circulait. Je riais dans ma barbe ! Je trouvais tellement injuste que le Conseil Suprême ait ratifié la décision de Béni que j'ai décidé de faire discrètement campagne pour le retour d'Arsène. Aimé s'est joint à moi. J'avais milité pour l'élection d'une conseillère municipale, je me sentais d'attaque pour faire casser la décision de l'expulsion. À part quelques personnes qui semblaient pencher de notre bord, tous alléguaient que Béni prenait toujours les bonnes décisions. Le gourou ne nous laissa pas la chance de cabaler bien longtemps, Aimé et moi. Il nous fit savoir par un messager, au déjeuner du mercredi suivant, qu'il nous foutait à la porte nous aussi. Nous avons paqueté nos petits le jour même. Trois jours avant Pâques. J'ai toujours conservé en mémoire la face du messager au moment de l'annonce. J'avais lu du chagrin sur son visage. Cette nouvelle, c'était visible, lui brisait le cœur. Et en même temps, elle illuminait le mien.

Sur la route qui menait à l'arrêt-départ d'autobus, Aimé, inquiet et déboussolé, et moi, léger et rassuré, avons marché en silence. Je me sentais comme le mineur qui sort de son puits, un soir frais d'été, après sa journée d'ouvrage. J'avais creusé tant que j'avais pu, tant qu'il y avait eu du minerai. Dans l'autobus, je n'ai pu m'empêcher de bavasser contre Béni. Aimé ne m'écoutait pas, il n'aimait pas qu'on dise du mal des autres. « Ce n'est pas productif », disait-il. Il se sentait rejeté, désavoué, et me reprochait de ne pas m'être battu avec lui pour contester notre renvoi. Il avait été surpris de voir comment je m'étais vite résigné — le pauvre, il n'était pas au courant de mon virage. Pris au dépourvu, il m'avait suivi. Là, adossé sur son siège, il le regrettait. Sa détresse était réelle, ça me bouleversait.

Le trop court trajet ne nous permit pas d'alléger l'atmosphère qui s'était passablement alourdie entre nous. Sur le quai de débarquement de la gare centrale, je l'ai invité à prendre un verre. Il a refusé, il avait besoin de réfléchir seul. Il se réfugiait chez un ami de la ville, en attendant. Peut-être tenterait-il sa chance de réintégrer, sans moi, la commune des cathos flyés, me glissa-t-il avant de me quitter.

L'autobus était stationné, tous moteurs éteints, au bout de sa route. J'allais où, moi ? Je suis sorti, et j'ai abouti dans l'enceinte où je venais lécher mes plaies du temps où j'étais payé pour aimer tout le monde. Les fauteuils avec télé s'alignaient là, au fond. Je m'y projetais la tête basse, renfrogné sur mes bobos. Je n'ai pas aimé le spectacle. Je suis sorti dehors, j'ai pris deux ou trois gorgées d'air et je suis retourné en dedans acheter un billet pour me rendre chez les deux seules personnes au monde que j'avais le goût de voir. Je me sentais orphelin. Plus de famille adoptive. Aimé, Bob, Marie-Christine, Josianne, Jean, Louise, Gisèle, Gérald... Ils faisaient partie de ma vie, de mon passé, de mon toujours, de ma terrible, épuisante et si amoureuse mission qui se terminait au seuil de la maison de mes parents, qui avaient présidé à son éveil.

Je voulais profiter des effets bienfaisants et heureux du rapprochement avec ma mère. Ma famille de sang, délaissée pendant toutes ces années, me manquait. Enfin, j'avais du temps pour eux que je n'avais pas l'impression de voler aux autres. Pour jouer aux cartes et bricoler avec mon père, comme il m'avait appris. Je passais des grands bouts de temps en silence avec lui à regarder par la fenêtre les oiseaux picorer dans ses mangeoires. Je me rendis compte que j'avais adopté ses gestes au fil des années. Sa démarche et sa façon de lisser ses cheveux avec sa main. Ils avaient blanchi sans que je m'en aperçoive. Je fus surpris de m'être autant éloigné de lui, lui qui avait pris tellement de place dans mon existence. Dans ma création.

Ma mère ne demandait pas mieux que je m'assois près de la machine à coudre dans l'atelier de couture pour la regarder faire. Elle s'appliquait à répéter les mêmes gestes qu'autrefois, enfiler l'aiguille, rabattre le pied de la machine sur le tissu, pousser la pièce habilement avec précision et souplesse et à la fin couper le fil des deux bords du vêtement. Et ce bruit sec qu'on entendait quand elle déposait les ciseaux sur la table, je voulais le réentendre. Après toutes ces années, je regardais ses gestes avec d'autres yeux. Je ne m'assoyais pas à côté d'elle pour quémander son attention, mais pour porter la mienne à ce qu'elle faisait, à ce qu'elle était. Pendant mon séjour, j'ai multiplié les occasions de l'assister dans la cuisine ou ailleurs, pour me donner des chances de m'ouvrir et de l'apprécier. De l'aimer. J'avais toujours été en amour avec elle sans l'aimer vraiment. De haut seulement, en la jugeant, avec un filtre dans le regard. Pauvre mère, je ne lui avais pas donné de chance.

J'ai souvent pensé à elle pendant mon séjour à la Maison d'Or. Je me rappelais sa ténacité, son rire, sa tendresse maladroite. Elle me manquait. Mon ego d'appelé s'est dégrossi. J'avais l'impression de descendre à mon tour les marches du piédestal sur lequel je m'étais élevé, et nous nous retrouvions côte à côte. Toute ma vie, j'avais couru après la tendresse de Dieu alors que c'est celle de ma mère que je cherchais. Ma flamme pour elle s'activait alors que s'éteignait ma foi.

On ne perd pas la foi comme on égare un objet précieux. Dieu ne disparaît pas. Il repose sur la table. Je l'ai discarté. Il n'est plus dans mon jeu. D'autres composeront avec. Avec pour bagage un sac à dos vide, j'ai quitté la table de jeu en direction du bureau des douanes pour me dédouaner. J'avais, une quinzaine d'années auparavant, signé un contrat d'appartenance avec une communauté religieuse, j'allais le briser. On m'a offert une indemnité de départ, je l'ai refusée. Ils avaient besoin, pour un temps, d'un homme à tout faire pour entretenir leurs bâtisses, un menuisier en quelque sorte. J'ai accepté le contrat.

D'habitude, ceux qui défroquent ne se tiennent pas dans les parages des presbytères ou des résidences des confrères qu'ils ont quittés. Ils créent de nouvelles relations avec des gens qui ont l'esprit plus libre et les fesses moins serrées. Je me foutais bien qu'ils aient les fesses serrées, je voulais qu'ils ouvrent leur porte-monnaie sans que je me sente redevable.

J'ai abouti dans un presbytère où le frère menuisier qui était en train de rénover la cuisine et la salle à manger venait de faire une crise cardiaque. Les travaux étaient restés en plan en attendant qu'il se remette sur pied. Le père responsable de la maison me proposa de continuer à exécuter les travaux sous la surveillance du frère, un homme délicat et drôle que je connaissais du temps du noviciat. Je sentais qu'on n'avait pas tellement confiance en mes capacités et qu'on m'engageait par charité. Tant pis pour eux. Je me sentais d'attaque.

Je connaissais ce milieu des presbytères de grosses paroisses de ville. J'y avais mis les pieds lorsque j'étais apprenti prêtre. Cette fois-ci, l'atmosphère était plutôt relax. Pas un des curés de la place ne m'était étranger. Je prenais le repas du midi avec eux à la grande table princière. Dans cette communauté, trois classes de religieux cohabitaient dans une certaine harmonie. Les prêtres, bien connus pour leur standing dans la société, les frères enseignants, pour la plupart généreux et soucieux de transmettre des connaissances et de bonnes valeurs aux enfants, et les hommes d'entretien et de réparation, religieux aussi, qu'on appelait chez eux les aides temporels. Moi qui avais fait partie des respectables de la communauté, voilà que je débarquais dans ce milieu par la porte d'en arrière, dite des domestiques. Alors, à table, j'avais beau appeler tout ce beau monde par leur prénom, je pouvais lire une certaine gêne sur leur visage, à cause de mes mains. Elles avaient été consacrées par l'évêque pour l'éternité, en vue de bénir, baptiser et pardonner, et voilà qu'elles étaient réduites à coller de l'arborite, débloquer des éviers, installer des toilettes et décoller de la tapisserie. Je m'amusais de cela, alors que pour certains, ça posait problème. On s'attristait de me voir ainsi obligé de gagner ma vie rudement en me salissant les mains.

— Mais que veux-tu, mon cher, Joseph était menuisier, Jésus l'a sans doute été aussi, et le bon vieux Noé, il a construit lui-même son arche! Et il a bien dû pelleter le caca des animaux qu'il avait fait monter à bord.

Il fallut deux mois avant que je réussisse à remettre à neuf les comptoirs et les armoires de cuisine, en plus de rénover une salle de bain, peindre la salle à manger, les corridors et les chambres. Mon contrat se terminait là.

Les lilas du devant du presbytère achevaient leur floraison. Les enfants du quartier, la bride sur le cou, libérés des contraintes de l'école, courraient dans la ruelle. Les jeunes filles offraient au soleil et à la vue leurs longues jambes blanches et les femmes portaient fièrement leur décolleté d'été. Un air de vacances circulait dans la ville. Et moi, j'allais seul, sans avenir, mais heureux d'être libre.

J'avais pris tellement de plaisir à accomplir ma job de menuisier et de peintre, pourquoi ne pas me convertir en homme à tout faire pour gagner ma vie? J'avais construit des bandes de patinoires, réparé une gouttière et remonté un truck délabré. J'étais capable de n'importe quoi. Toute ma vie, je m'étais offert corps et âme. J'offrais maintenant mes mains.

Je n'avais plus de cause à porter. Peu importe, l'amour n'a pas besoin de cause et de mission pour s'épandre. De jobine en jobine, puis de cours en stages, je devins un menuisier habile en tout. Avec des outils neufs en main, j'étais heureux dans mon nouveau métier. Il me convenait bien, car c'était un métier de tête et de bras, d'adresse et de cœur. Je le pratique toujours. C'est ce qui me permet, avec le salaire de ma blonde, de faire vivre notre famille.

Table des matières

Achevé d'imprimer
en août deux mille dix-huit, sur les presses
de l'imprimerie Gauvin, Gatineau, Québec